D0609123

Choisis donc d'aimer

Jules Beaulac

Choisis donc d'aimer

Variations sur l'éducation

Nouvelle édition
revue et augmentée
1994

Sciences et *Culture*

Conception de la couverture: ZAPP
Photographie de la couverture: Jules Beaulac

Dépôt légal : 2e trimestre 1994
Bibliothèque Nationale du Québec
Bibliothèque Nationale du Canada

ISBN 2-89092-155-7

Éditions Sciences et Culture
5090, rue de Bellechasse, Montréal
(Québec) Canada H1T 2A2
(514) 253-0403   Fax : (514) 256-5078

Imprimé au Canada

À toutes les personnes
qui ont choisi d'aimer
pour grandir
et en aider d'autres
à faire de même.

« Aime...
et fais ce que tu veux. »

Augustin

« Quand les hommes vivront d'amour,
il n'y aura plus de misère;
les soldats seront troubadours,
mais nous, nous serons morts,
mon frère. »

Raymond Lévesque

« L'enfant peut s'amuser
des heures durant
avec une simple ficelle...
pourvu qu'au bout de la ficelle
il y ait un ami. »

Camille Laurin

Introduction

Quand j'ai commencé à écrire ces réflexions sur l'éducation, j'avais pensé intituler ce livre : *Il faut aimer*. Je trouvais en effet qu'une éducation sans amour n'est pas une véritable éducation. Je pensais qu'on n'insisterait jamais assez sur la nécessité de l'amour en éducation.

Et j'avais écrit l'introduction suivante :

« Je sais que l'amour ne se commande pas. Personne ne peut dire à personne : "Aime-moi". Pourtant, de mille manières, les gens, les jeunes tout particulièrement, crient à leurs éducateurs leur immense besoin d'être aimés. Ils le réclament presque comme un droit.

« Je sais aussi que l'amour seul ne saurait suffire. Il faut des techniques, des instruments, des recherches, des laboratoires, etc. Il faut faire appel à la tête, aux bras, pas seulement au coeur. Pourtant, tout cela semble également insuffisant quand l'amour est absent.

« L'amour est-il facultatif ? Ou bien est-il une denrée nécessaire pour grandir ? L'amour que l'on reçoit mais aussi celui que l'on donne. Sans amour, l'éducation ne risque-t-elle pas de se diluer dans l'instruction ou dans le "training" et de tronquer sérieusement la croissance ?

« Se pourrait-il que l'amour ne soit pas simplement un besoin, mais aussi... un droit ? Se pourrait-il que, pour grandir dans toutes les dimensions de son être, il faille que l'amour soit présent en belle place dans le processus éducatif ? »

Puis je me suis ravisé.

À la lumière des remarques de quelques personnes qui m'avaient fait l'amitié de lire mon manuscrit et aussi dans le prolongement de ma propre réflexion, il m'est apparu que l'amour, en éducation, même s'il est nécessaire, ne saurait faire l'objet d'une obligation ou d'un devoir et qu'il ne saurait être imposé comme un droit par qui que ce soit à qui que ce soit.

En éducation, l'amour ne peut être que le résultat d'un choix, de plus en plus lucide et de plus en plus personnel. Et alors, l'action éducative est à son meilleur.

C'est pourquoi j'ai pensé intituler ces réflexions : *Choisis donc d'aimer*.

I

Des plantes ...

« **La terre
est une bonne mère:
elle est pleine
de sagesse cachée.** »

Chris Sadler

Le terrain

Une bonne journée, il y a de cela plusieurs années déjà, je suis devenu propriétaire d'un lopin de terre grand comme ma main et d'une maison longue comme mon doigt.

Un terrain de belle glaise bleue ! Vous savez, cette terre qui vous fait des pieds plus gros que votre tête quand il a plu, mais qui se lézarde et durcit comme du béton quand il fait sec !

Pas un arbre, pas une fleur cultivée, mais des pissenlits et de la « moutarde » à tous les centimètres ! Du chiendent, du plantain et du foin haut comme ça, jusqu'à la ceinture !

Tout était à faire sur ce coin de terre... Et c'est cela qui était merveilleux !

Cette terre m'a beaucoup appris...

Laissez-moi vous le raconter...

La faux

Je suis allé chez le fermier d'à côté chercher une faux pour couper la grande herbe.

Il a bien ri de moi, mon voisin... poliment bien sûr ! Un intellectuel, un gars « toujours-le-nez-dans-les-livres », comme il disait, plus habitué à tenir une plume au bout de ses doigts qu'une faux dans la main ! Il avait bien raison !

Je me suis quand même attelé à la tâche avec un enthousiasme aussi grand que mon ignorance ! J'ai tout fauché !

Le résultat...? Je vous le donne en mille: pour mon voisin, une faux ébréchée sur les pierres et dans la glaise ! pour moi, des sueurs abondantes, des courbatures, un bon mal de reins et des ampoules dans les deux mains !

« Ce n'est rien, me dit mon voisin, narquois, c'est le métier qui rentre ! »

Le feu d'herbe

Je me suis rendu au magasin général du village acheter un balai d'acier pour empiler ma « moisson » d'herbe. Je trouvai aussi une paire de gants de coton pour protéger mes mains de « papier ».

Mes voisins eurent pitié de moi...: ils m'aidèrent à entasser tout ce foin.

Puis, quelques soirs plus tard, on mit le feu là-dedans... : grand feu de joie et d'amitié ! Du cola pour les jeunes, de la bière pour les « grandes personnes » et de la « boucane » pour tout le monde !

Une belle fête ! De la joie, des rires, des histoires, des taquineries, en veux-tu, en v'là !

Premier contact de solidarité avec mes voisins... à travers le feu !

L'ensemencement

Il fallut ensuite égaliser le terrain et piocher les plus grosses racines : pissenlit, chiendent, chardon et liseron.

Puis, je décidai de gazonner ce terrain. Là encore, l'expérience des fermiers d'alentour me fut bien précieuse.

« Pas de gazon délicat cette année ! Fais d'abord un fond de trèfle et de mil ». Et va pour le trèfle et le mil !

Ils avaient raison ! D'autant plus que le vent souffla sur mon terrain les graines de fin gazon semées par mes voisins ! Dès la première année, ma pelouse, sans être « aux fines herbes », était épaisse et dodue !

Et depuis, mon tapis de verdure s'illumine de l'or du pissenlit à chaque printemps, de la perle et du pourpre du trèfle au milieu de l'été, et du cuivre terni de la « moutarde » un peu plus tard. Et même, cette année, la nacre des marguerites est venue émailler ma pelouse. Cela vaut bien tous les tapis d'Orient !

En Grèce, les champs rougissent de coquelicots qui les décorent magnifiquement. Mon vert terrain a, lui aussi, ses cycles de couleurs et c'est très bien ainsi ! Cela me réjouit le coeur de voir danser sous mes yeux toutes ces beautés !

Les arbres

Je vous ai dit que j'avais acheté un terrain tout nu... Pas un arbre ! C'était loin d'être une terre « en bois debout », c'est le cas de le dire.

Un beau matin, il m'apparut clairement qu'il fallait planter des arbres. Ce serait plus beau. Il ferait moins chaud. J'aurais de l'ombre pour mes vieux jours...

Mais, quoi planter dans la glaise bleue ? Qu'est-ce qui peut pousser sur un tel sol ?

« Je te souhaite bonne chance », me dit mon voisin Léon. J'ai essayé des érables: tous morts ! Des sapins, des épinettes... ils ont fait un an, puis ils ont tous crevé ! Tout ce qui pousse ici, c'est du tremble, du saule et de l'orme ! L'orme ! Tu auras le temps de mourir avant qu'il te donne de l'ombre ! Le saule, il se couvrira de « bébites » et « mangera » tout ton gazon avec ses grandes racines ! Quant au tremble, un vent fort le brisera sur ta maison ! »

Avec de tels encouragements, allez donc planter un arbre !

Mes ardeurs de planteur en étaient toutes refroidies ! Tout de même, je me dis qu'il devait sûrement y avoir moyen de faire pousser quelque chose sur ce terrain !

Et je commençai à rêver et à faire des plans...

Les épinettes

Sur ces entrefaites, l'une de mes connaissances que je visitais à trois cents kilomètres de chez moi m'offrit en cadeau une bonne douzaine d'épinettes.

Là-bas, les épinettes, ça pousse comme ici le chiendent. Mais dans le sable et les pierres, pas dans dix mètres de glaise bleue !

Que faire ? Je n'avais qu'à les cueillir ! Après tout, pourquoi pas essayer ? Je partis donc, une pelle sur l'épaule, déraciner ces « sacrées » épinettes ! C'est là qu'a commencé mon éducation de planteur d'arbres, je devrais plutôt dire de « déplanteur » d'arbres !

Saviez-vous que des épinettes, même petites et même plantées dans le sable, ça ne se laisse pas avoir d'un coup de pelle ? Il ne faut pas couper trop de racines, sinon la pauvre épinette meurt. En plus, il y a une racine-maîtresse, toujours plus longue que les autres, toujours très longue, qu'il faut « suivre » patiemment pour la déterrer et en préserver le plus possible. Il faut apporter le plus de terre possible aussi pour reconstruire l'environnement du sol lors de la transplantation, sinon il y a risque de rejet, comme pour les coeur des transplantés ! Il ne faut pas exposer les racines à la lumière et surtout au soleil : elles sèchent... et c'est fini. Il faut prendre soin de cueillir beaucoup de petites racines, les « radicelles », comme disent les botanistes, car ce sont elles qui tirent l'eau et le suc de la terre et ce sont elles aussi, hélas ! qui sèchent le plus vite. Il faut... il ne faut pas !

Mon ami m'avait bien averti : « Ne prends pas d'épi-nettes à l'ombre, si tu les plantes au soleil, elles ne s'adapteront pas : changement trop radical d'environ-nement. Ne change pas leur orientation quand tu les planteras. Tu comprends, si tu places la partie nord de ton épinette au sud, alors tu la troubles profondément, car elle n'est pas habituée à recevoir tant de soleil ! Ne les prends pas trop grandes non plus ; les vieux arbres transplantés meurent toujours. Etc. »

Armé de tous ces bons conseils et de ma pelle, je m'en allai arracher les épinettes. Qu'elles étaient belles et nombreuses dans ce champ sablonneux ! Des vertes clair, des vertes foncé, des bleues-gris, des pres-que noires ! Des grandes élancées, des petites jouf-flues, des mignonnes touffues, des embouquetées, des fières solitaires... Comme elles auraient belle allure dans ma pelouse ! Déjà, je les voyais se pavaner au soleil... et déjà, je les aimais !

Mais vite... au travail ! Commençons par cette pe-tite espiègle au regard clair et au pelage fauve ! Et puis cette grande à la taille mince mais si bien proportion-née ! Et puis cette belle ronde toute pelotonnée sur elle-même ! Tiens, cette grande bleue sera jolie au coin de ma maison ! Et encore cette petite énervée qui me menace de toutes ses aiguilles !

Finalement, après trois heures de travail acharné, une chemise pleine de sueur, des mains encore une fois tout ampoulées, des bras égratignés et une légère en-torse au pied droit, (il faut vous dire que dans mon enthousiasme à regarder ces merveilles, j'avais mar-ché là où je ne regardais pas, c'est-à-dire dans un trou creusé par un autre admirateur d'épinettes avant moi !... morale : il faut toujours remplir les trous que l'on fait en déracinant les chères épinettes ; autrement le « suivant » se foule un pied), finalement, dis-je, je me retrouvai avec douze belles épinettes entassées dans ma voiture.

Il y en avait partout, sur la banquette-arrière, sur la banquette-avant, entre les deux. Si bien que, sur l'autoroute, les voitures qui me doublaient ne manquaient pas de se demander quel était cet original qui conduisait sa bagnole au milieu d'une « épinetterie » ambulante. Je fis particulièrement gros effet à la station d'essence où j'arrêtai faire le plein.

Si jamais l'envie vous prend de faire de même, il faut que je vous prévienne de cet autre détail : préparez-vous à accueillir dans votre voiture, avec les épinettes, toutes sortes de petits pensionnaires du genre araignées, maringouins, guêpes, chenilles, etc. Et cela se déplace durant le voyage ! Vous en trouverez dans votre cou, sur vos épaules, dans vos cheveux... Gare aux démangeaisons et aux coups de volant imprévus ! Mais, cela fait partie de l'aventure. Ah ! ce qu'il ne faut pas endurer pour les êtres que l'on aime !

Toujours est-il qu'à quatre heures de l'après-midi, j'arrivais chez moi avec ma précieuse cargaison, sous le regard ébahi et un peu sceptique de mes voisins. Et alors, commença la délicate opération de la transplantation.

La transplantation

Car, ce n'est pas tout de déplanter, il faut replanter... et sans tarder.

Avec tous les conseils « écologiques » de mon ami et de mes voisins, j'avais déjà commandé un « voyage » de sable. J'étais moi-même allé chercher chez Jean-François, un fermier voisin, du fumier de vache, bien fermenté, aromatisé à souhait, de qualité numéro un. J'avais même des graines d'avoine en quantité, « car, m'avait conseillé Mario, un autre cultivateur, l'avoine fait pousser les petites racines ; il faut toujours en mettre quand on plante un arbre ». Enfin, j'avais de la pierre concassée si nécessaire en terrain glaiseux pour « faire un drain » aux racines, m'avait finalement dit Joël, mon voisin d'en face.

Alors, commença la transplantation. On creuse un trou d'au moins un mètre de diamètre et d'un demi de profondeur. La glaise, c'est lourd, ça finit par vous faire des bras... ou vous les défaire ! Pensez donc, douze trous à creuser ! Puis, on tapisse le fond de pierres concassées: le drain ! Ensuite, on recouvre de sable. Il ne faut pas oublier les grains d'avoine : semez abondamment ! Et alors, on pose doucement l'épinette chanceuse en prenant bien soin de tenir le tronc bien droit et de bien étaler les racines, surtout la grande racine... n'oubliez pas la grande racine ! Puis, on rajoute du sable. On arrose copieusement : il faut vérifier l'efficacité du drain et permettre aux racines de remplir le trou avec un mélange de sable et de glaise. Mais, attention, il faut taper le sol avec les mains et les pieds pour qu'il ne reste pas de cavité dans la fosse, car alors les pauvres racines sécheraient au contact de l'air. Il faut aussi disposer la surface de la fosse en forme d'assiette pour que l'eau puisse y séjourner : les épinettes transplantées ont terriblement soif la première année.

Il m'a fallu faire cette opération douze fois sous l'oeil admirateur ou espiègle de mes voisins, venus m'aider, bien sûr, mais aussi venus voir un « gars de bureau », un « gars de ville » planter des arbres !

Toujours est-il qu'à huit heures du soir, les douze épinettes se dressaient fièrement du haut de leur petite taille tout autour de mon terrain. Fourbu et sale, je me retrouvai avec mes voisins à trinquer à leur avenir. Car, la même question nous serrait tous la gorge : « Vont-elles reprendre, les chères ? » Et le même souhait nous remplissait tous le coeur : « Puissent-elles donner de l'ombre un jour ! » Elles étaient pleines de promesses, ces petites, et on ne demandait pas mieux que de leur faire confiance, quoi ! En tout cas, elles étaient sûres, elles, de pouvoir compter sur nous.

Les premiers mois

Il ne faut pas vous imaginer qu'il suffit de planter les épinettes en terre pour qu'elles se mettent à pousser. Il en faut des soins pour aider quelqu'un à grandir !

Il y eut d'abord l'arrosage. Les épinettes, je vous le disais, ça boit. Ma voisine m'avait dit : « N'arrose pas souvent, mais quand tu arroses, mets-en ! » Alors, deux fois par semaine, je faisais le tour de mes douze « protégées » avec mon boyau d'arrosage et, fidèlement, je remplissais d'eau l'assiette que j'avais consciencieusement façonnée lors de la transplantation. Jamais, je vous le dis, des épinettes ne burent tant !

Et puis, ma tante Jeanne m'avait averti : « Les plantes ont une âme, elles sont sensibles, il faut les regarder, les trouver belles, le leur dire, leur parler, leur témoigner de l'affection... » Alors, tous les soirs, en revenant du bureau, je faisais le « tour du propriétaire », contemplant mes beautés et leur disant qu'elles me tenaient à coeur... j'épiais le moindre de leurs progrès... il serait plus juste de dire : je surveillais si elles ne dépérissaient pas !...

Plantées à l'automne, il fallut penser très tôt à les préserver des rigueurs de l'hiver. Alors, ce fut la course aux « clôtures à neige ». Jean, mon voisin, m'en procura de solides qu'il posa lui-même autour des arbustes: « J'ai l'habitude, tu sais ». De les savoir en sécurité m'enleva un poids de sur le coeur.

Ainsi, encore toutes vertes, elles étaient prêtes à affronter les tempêtes de neige et le verglas. Un de mes oncles m'avait dit pour m'encourager sans doute : « Les épinettes ne périssent jamais la première année; c'est après le premier hiver que tu verras si elles auront le goût de vivre ».

Durant tout l'hiver, j'attendis le printemps, partagé entre l'anxiété et l'espoir.

La première année

Puis vint le printemps, plein de vie et de promesses. Vite, les clôtures à neige furent supprimées. Et, ô surprise, mes épinettes étaient encore toutes vertes !

Mais, cette année-là, elles ne firent pas de nouvelles branches. Je me dis qu'elles concentraient leurs efforts à allonger leurs racines dans ce nouveau sol. Après tout, elles ne pouvaient pas tout faire à la fois! Et, paraît-il que j'avais raison, d'après un botaniste célèbre du rang voisin.

Elles me demandèrent quand même pas mal de travail et me causèrent quelques soucis.

D'abord, il fallut poursuivre l'arrosage tous les trois jours: histoire de favoriser la pousse des racines et d'empêcher le feuillage de sécher. C'était quasiment comme une tétée régulière !

Puis, il fallut entretenir l'« assiette » : le pissenlit, le chiendent et le trèfle y réclamaient un droit de propriété constant. Il fallut arracher sans pitié tous ces envahisseurs, à la main et à la pioche. Je ne sais si vous le savez, mais les racines de pissenlit et de chiendent, c'est quelque chose ! C'est tenace et ça résiste en grand... Et puis, tirez, tirez, il en reste toujours un bout en terre qui « retigera » dans quelque temps.

Les grains d'avoine se mirent à pousser eux aussi. Je voulais bien qu'ils aident les racines mais je ne leur accordais pas le droit de pousser au milieu des aiguilles de mes épinettes ! Il fallut nettoyer tout cela, sans ménagement !

Toujours est-il qu'au bout d'un an, mes épinettes n'étaient pas mortes ! Elles semblaient s'adapter à leur nouveau milieu et étaient prêtes à affronter leur deuxième hiver.

Encore les clôtures à neige et... au printemps prochain !

Et maintenant...

Le printemps arriva... plein de promesses !

Mes épinettes étaient plus vertes que jamais. Les bourgeons éclatèrent : de nouvelles branches apparurent d'un vert tendre merveilleux.

Pour la première fois, je procédai à l'engraissage. Je me fis un mélange de fumier de vache et de poule que mon voisin me donna en abondance. J'étendis le tout copieusement autour de mes arbres. Pas trop près du tronc : vous risquez de brûler les racines. Mais, à la lisière du feuillage. Et au printemps, pas à l'automne, car l'arbre ne doit pas trop pousser durant l'hiver.

J'espaçai les arrosages. Il n'est pas bon de « couver » un arbre : il ne fait alors que des racines de surface et un vent un peu fort le jette par terre. Il faut lui donner la chance d'aller faire des racines en profondeur : c'est dans le sous-sol qu'il puisera les matières nécessaires à sa croissance et qu'il s'y plantera solidement. Je fis pour la première fois une taille des nouvelles pousses pour épaissir leur feuillage. Pas n'importe quand, bien sû r! Au début de juillet, bien entendu !

Il est évident que, comme à l'accoutumée, il fallut les protéger contre le chiendent, les pissenlits, les chardons, le trèfle et quelques autres herbes indésirables... et même contre les chiens ! À vrai dire cependant, elles n'ont pas été très incommodées par ces animaux, car leurs aiguilles leur égratignent la peau !

Et voilà ! Maintenant, elles sont lancées dans la vie et se débrouillent fort bien toutes seules. Je n'ai qu'à les contempler, à les regarder grandir, à les trouver belles ! Je vais vous dire, je les aime bien... tant il est vrai qu'on aime les êtres qui nous demandent tant de travail et d'attention !

Quand je les regarde...

Il m'arrive parfois, au retour du bureau, de m'asseoir dans ma pelouse et de regarder ces petites merveilles... je devrais plutôt dire de les contempler.

Plus je les admire, plus je trouve qu'elles ont toutes un visage particulier. Que personne ne vienne me dire qu'elles sont toutes pareilles et que ce ne sont que de vulgaires épinettes ! Elles sont devenues « quelqu'un » pour moi, je vous prie de me croire ! J'essaie de les regarder avec mon coeur... elles m'ont coûté tant de sueurs !

Prenez celle qui est en face de mon entrée principale : elle me fait penser à la magnifique servante noire du film « Autant en emporte le vent » : concrète, replète, parfaite, toute en rondeurs, accueillante, disponible, (c'est pour cela qu'elle est à l'entrée de ma maison, d'ailleurs !), feuillage sombre et sourire clair !

Regardez celle qui est au coin là-bas, près de la haie (je vous parlerai bientôt de ma haie !). Celle-là, c'est ma princesse. Quelle élégance, quelle tenue, quelle fière allure, quelle magnifique robe de soirée, soie moirée, étincelante de paillettes ! On dirait qu'elle s'en va toujours au bal ! Vous ne voyez pas le diadème qu'elle porte sur sa tête ? Allons, un peu d'imagination !

Et puis, avez-vous aperçu cette petite tout près de ma voiture ? Celle-là, elle est si menue qu'un jour un de mes amis a failli l'écraser en marchant dessus ! Mais, elle grandira, n'ayez crainte. Elle me fait penser à ma petite nièce, cette épinette. Elle passe inaperçue, mais si vous l'observez un peu, vous verrez que son sourire et ses petits pas de danse illuminent toute la pelouse.

Avez-vous remarqué celle qui est plantée au beau milieu de mon terrain ? C'est ma fermière. Regardez comme elle est costaude, admirez le rouge vif de ses joues pleines de soleil et sentez son parfum : ça sent la campagne à plein nez !

Et puis, il y a mon gendarme au coin là-bas, bien droit, souliers cirés, casqué, bardé, armé ! Regardez comme il me protège !

Et si vous vous donnez la peine de faire une tournée des douze, vous découvrirez sans peine la maîtresse d'école avec ses lunettes et sa règle. Il y a également le monseigneur avec sa soutane rouge, sa calotte pourpre et son gros diamant au doigt : c'est l'hiver qu'il est le plus beau, avec sa cape d'hermine ! Vous verrez aussi mon petit bouledogue avec son nez écrasé et ses pattes crochues. Peut-être reconnaîtrez-vous aussi le pauvre petit chétif là-bas, à la mine triste et qui, malgré mes bons soins, accuse du retard sur les autres dans sa croissance. Mais, je ne l'abandonnerai pas pour autant, au contraire !

Vous voyez, elles sont uniques au monde, mes épinettes. Elles ont chacune leur personnalité et aiment à être traitées comme des personnes. Je pense que bientôt je vais leur donner des noms. Qu'est-ce que vous en dites ?

La haie

Un beau matin d'octobre, le téléphone sonne. Une de mes amies, Violette, m'offre des « retiges » de sa haie de chèvrefeuille, « pour border ton trottoir », me dit-elle.

Je ne pouvais refuser ce cadeau d'une bonne amie. D'autant plus qu'une haie, c'est joli ! En tout cas, c'est bien plus beau qu'une clôture de bois ou de fer, surtout si elle ressemble à une palissade ! Alors, allons-y pour la haie. « Samedi prochain, me dit Violette, viens chercher tes retiges. »

Le samedi suivant, il pleuvait à boire debout. Mais, mon grand-père m'a toujours dit : « Une promesse est une promesse, c'est fait pour être tenu ». Et foi de petit-fils, je suis allé à trente kilomètres de chez moi couper les « retiges » (à la pluie battante, car elles n'étaient pas coupées — il fallait les garder en vie, et le meilleur moyen, c'est bien de les laisser attachées au tronc, non !). Ah ! Violette, je m'en souviendrai de cette tonte de chèvrefeuille ! Mais, qu'est-ce qu'on ne ferait pas pour l'amour d'une haie... et pour l'amitié de Violette !

À midi, je suis de retour chez moi. La pluie tombe toujours « à seaux » !

Et il faut planter ces rejetons: autrement, ils vont mourir... et adieu la haie ! Allons-y ! Vous avez déjà planté une haie de soixante mètres de long sous la pluie, dans la glaise, en bottes, en imperméable ? Il faut le faire !

Pas besoin de remuer la terre : c'est toujours ça de pris ! Il pleut, la glaise bleue est molle comme de la cire fondue et les petites tiges de chèvrefeuille s'enfoncent facilement. Mais, attention : il ne faut pas oublier les graines d'avoine qui font pousser les petites racines ! Ça, c'est plus compliqué : allez jeter des graines dans un trou de dix centimètres de long par un de diamètre, parfois moins ! Cela relève de l'exploit : les graines, sous la pluie, ça se prend en pain et ça gonfle ! Tant pis, avec un peu de patience et de colère, on y arrivera !

Il y a les bottes aussi ! Les bottes dans la glaise bleue mouillée. Ça devient lourd, lourd. Ça devient glissant comme sur une patinoire ! Il faut marcher doucement, prudemment, comme sur des mines ! Et puis, il faut les « dégommer ». Vingt fois, ce qui n'est pas un cadeau, vous pouvez me croire !

Mais, enfin, après des heures, la haie était plantée et s'alignait fièrement dans la grisaille de la pluie sur deux fois trente mètres et de toute la hauteur de ses vingt centimètres !

Le lendemain, les voisins vinrent « admirer » ce nouvel objet de curiosité. Ils étaient plutôt sceptiques : planter une branche comme ça dans la terre, sans bêcher, sans faire pousser de racines auparavant, tard à l'automne. Attendons, on verra bien le printemps prochain ! De toute manière, ça ne coûte pas cher d'essayer !

Arriva le printemps ! Avec anxiété, tous regardaient le chèvrefeuille. Bientôt apparurent des feuilles, ô surprise ! La haie repoussa aux trois quarts, la première année.

Bien sûr, cela n'alla pas tout seul. Le chiendent et les chardons livrèrent aux nouvelles racines une guerre sans merci. C'était à qui occuperait le terrain ! C'était vraiment la bataille du plus fort. Mais, mes coups de pioche et de truelle vinrent en aide aux nouvelles arrivantes. Que de soirées j'ai passées à « nettoyer » cette haie ! Une clôture aurait été bien plus simple et aurait occasionné bien moins de troubles ! Mais une clôture, ça ne pousse pas, ça ne grandit pas ! Ça n'est donc pas très intéressant !

Il faut dire que les grains d'avoine ne lui ont pas nui non plus à ma haie, d'autant plus que je l'ai nourrie abondamment de bon fumier, ce qui n'a pas manqué de faire dire à mon voisin non sans une pointe d'humour et d'amitié : « Monsieur le curé, voyez dans quoi vous avez mis vos mains consacrées ! »

L'an dernier, elle s'est payé une petite maladie : les pucerons sur les tiges nouvelles. Je les comprends un peu ces pucerons : l'herbe tendre, ça ne tente pas que les ânes de La Fontaine ! Alors, il fallut prendre les grands moyens : couper toutes les nouvelles pousses une par une. Ah ! qu'on s'en donne du mal pour les êtres qu'on aime !

Mais, aujourd'hui, mon chèvrefeuille fait deux mètres de haut, un de large sur soixante de long. Si bien qu'à chaque automne, quand je le taille, mes voisins viennent en cueillir de lourds fagots pour se faire des haies à leur tour. Et mon chèvrefeuille fait régulièrement l'apprentissage de la générosité !

Merci bien, Violette !

Les autres arbres

Avec le temps, d'autres arbres sont venus tenir compagnie à mes épinettes.

D'abord, Marguerite, l'une de mes élèves, ayant appris que j'aimais les arbres, m'offrit trois pins sylvestres. « Ça pousse tout seul », me dit-elle. « Pas d'eau, pas d'entretien ! Et puis, c'est vigoureux, ça a du coeur au ventre et du vouloir-vivre comme dix ! Si tu les veux, tu n'as qu'à venir les chercher. » Le problème, c'est que Marguerite demeurait à plus de cent kilomètres de chez moi. Mais je trouvais bien belles les aiguilles bleutées de ce grand arbre.

Comme d'habitude, je les transplantai après les avoir véhiculés dans mon auto (eux aussi). Cette manie d'aller chercher des arbres au bout du monde ! Un grand trou, des pierres (pour le drain), du sable, de l'avoine, de l'eau... et regardons-les pousser !

À vrai dire, j'en ai sauvé deux qui commencent à avoir belle allure. Je m'affole à penser qu'ils vont atteindre un jour la jolie hauteur de dix mètres ! Quant au troisième, je n'ai jamais compris pourquoi il s'est desséché. Je lui avais pourtant donné la même attention et les mêmes soins qu'aux deux autres. C'est comme si l'un de vos jumeaux mourait! J'ai mis bien du temps à m'en consoler !

Et puis, ce fut le tour des érables argentés : quatre cadeaux de mes connaissances. Malgré les avertissements de mon voisin Félix (« Ça ne poussera jamais ! »), je leur fis confiance. Aujourd'hui, ils sont en pleine croissance. Cet automne, ils me donneront de belles feuilles dorées, écarlates et cuivrées, et, dans trois ans, de l'ombre pour ma visite.

Ensuite, ce fut l'érable rouge. Mais, là, ce fut plus compliqué et plus tragique. Marie-Paule, l'une de mes tantes, qui était venue me visiter, me donna une belle tige à l'automne. Je la plantai avec d'infinies précautions. Déjà, je l'imaginais avec son beau panache rouge vin au milieu des verts tendres et forts des autres arbres. Quel spectacle et quelle beauté !

Mais, l'hiver vint avec ses rigueurs. Et au printemps, l'érable rouge était bien mort. Je consultai un spécialiste : il ne faut jamais transplanter un érable rouge à l'automne, c'est un arbre trop sensible, trop délicat, il ne supporte pas le premier hiver. « Plantez au printemps », me dit-il. Heureusement, ma tante eut la bonne idée de s'informer de son érable. Je lui racontai la triste destinée de son arbre... « Je vais t'en donner un autre ! » Celui-là, je l'ai planté ce printemps. On verra dans un an quel sera son avenir. J'ai bon espoir. En tout cas, il a survécu aux chaleurs de l'été sans apparente difficulté.

Je veux enfin vous parler de mes deux mélèzes et de mon sorbier. Ce sont là aussi des cadeaux de deux connaissances. Eux vraiment poussent comme de la mauvaise herbe. Ils ont triplé leur hauteur en deux ans. Quelles beautés que ces arbres ! Je n'en finis pas d'admirer le velours des aiguilles des mélèzes et les doigts de fée des feuilles du sorbier. Je les taille presque tout l'été : ils supportent bien cela, ils n'en sont que plus beaux, plus touffus, plus symétriques.

Ah! j'oubliais. J'ai même planté un gland un soir dans un endroit humide et sombre de ma terre. Il a germé. C'est curieux la façon dont un chêne s'y prend pour grandir : il ne ressemble pas à mon sorbier qui pousse tout l'été. Lui, c'est comme s'il poussait par secousses, se reposant et durcissant son bois entre chaque étape. S'il y en a un avec qui il ne faut pas se presser, c'est bien lui. Si j'attendais après lui pour avoir de l'ombre, il me faudrait vivre jusqu'à cent ans ! Aussi ai-je renoncé à le cultiver ! Je ne l'ai pas détruit pour autant : on ne tue pas les arbres, car c'est la vie ; je l'ai donné à André, l'un de mes amis, qui l'a transplanté dans un sous-bois près de chez lui. Je vais le voir quand je rends visite à mon ami, car je ne peux pas me désintéresser des vivants que je donne. Bien sûr, il ne donnera pas de glands demain matin, mais il en donnera un jour, c'est garanti ! Et l'espoir, c'est la vie !

Les fleurs

Ma voisine, Antoinette, me dit un jour : « Tu devrais semer des fleurs dans ta pelouse, ça lui donnerait de la couleur. »

Et va pour les fleurs ! Je fis des plates-bandes et des rocailles : pétunias, dahlias, oeillets d'Inde, pourpier, zinnias, cannas, alyssum, capucines, pavots, bégonias, géraniums, soleils, passeroses, coeurs saignants, et j'en oublie ! Des nains, des petits, des moyens, des grands, des géants ! Symphonie de couleurs et de parfums !

Elles suscitent l'admiration et l'envie des gens qui les voient. Et de fait, elles sont bien jolies !

Ce qu'on ne sait pas toujours, c'est qu'elles demandent de l'entretien et de l'attention. Les mauvaises herbes poussent avec les fleurs, hélas ! Il faut les enlever régulièrement. Au début, il faut arroser chaque jour. Et puis, il faut émietter la terre qui a tendance à durcir. Il faut aussi transplanter, éclaircir, couper les fleurs fanées pour que de nouvelles poussent en beauté.

Mais, qu'est-ce que toute cette peine à comparer à la joie qu'ont les personnes que j'aime ou qui m'aiment, et même les autres, quand je leur donne de mes fleurs: le personnel du bureau, ma famille, ma mère, mes voisins, mes amis, les visiteurs, etc.

Les fleurs m'ont fait découvrir la prodigalité de la nature : pour quelques graines semées, j'ai des douzaines de fleurs ; et pour une fleur, j'ai des dizaines de graines ! La nature est généreuse, c'est à peine croyable !

Et puis, il y a mes rosiers. Ça, c'est une histoire spéciale. Je ne parle pas des rosiers sauvages qui donnent des roses toute la saison, qu'on peut tailler à volonté et qui font de jolis arbustes.

Je parle des rosiers « cultivés », qui vous fabriquent des roses splendides de toutes les formes et de toutes les couleurs... ou presque. Mais, comme ils demandent des soins ! Ainsi, quand arrivent les dangers de gel à l'automne, il faut les couper à ras du sol, et petit à petit, recouvrir les plants de terre. Pas trop, car alors ils ont trop chaud et ils se remettent à bourgeonner et ce n'est pas le temps, pensez donc, à la veille de l'hiver ! Mais, assez toutefois, sinon la tige gèle et votre rosier meurt. Et puis au printemps, c'est l'opération inverse qu'il faut faire : enlever progressivement la terre entassée à l'automne... pas trop... mais juste assez. Je les compare parfois à ces bébés qu'il faut protéger du froid en les couvrant de couvertures : pas trop, car ils vont étouffer ou transpirer tant qu'ils vont attraper une pneumonie ; assez cependant pour qu'ils n'aient pas froid ! C'est un art ! Comme pour les bébés, ça s'apprend !

Les plantes de maison

Un soir, Aline et Jean vinrent veiller chez moi avec leurs deux enfants. Aline me dit : « Il n'y a pas assez de vie dans ta maison, garnis-la de quelques plantes. »

Le lendemain, avant que j'aie dit oui ou non, elle arrivait avec des pots de fleurs : un bégonia, une violette africaine et un pied d'impatientes. C'était un début.

Mais, quand les autres virent que j'avais des plantes d'intérieur, ce fut une véritable invasion. Des lierres, des glaces, des diffenbachias, des « caoutchoucs », des coléus, des ficus, des piléas, des cactus... Si bien que maintenant mes voisins parlent de ma maison comme d'un « jardin botanique » ou d'une « serre ».

Elles aussi demandent de l'attention : certaines ont besoin de lumière, d'autres d'ombre; les unes boivent beaucoup d'eau, les autres n'en veulent presque pas. J'ai même un ami qui m'a donné en cadeau un instrument pour mesurer le degré de lumière et d'humidité de chaque plante. Mais, à vrai dire, je m'en sers peu. Là-dessus, je suis comme ma grand-mère quand elle faisait ses tartes et ses gâteaux : elle ne suivait pas les recettes des grands livres et les principes des grands maîtres ; elle savait au goût s'il fallait ajouter une pincée de sel ou de sucre pour que ce soit bon. Quand une plante a besoin d'eau ou de lumière, je le sais : ne me demandez pas comment... une sorte de sixième sens !

Les plantes s'habituent à vous et vous, à elles. Elles s'habituent à votre environnement. Changez-les d'endroit : elles s'adaptent mal et elles vous le font savoir... Les plantes aiment être chez elles chez vous mais à une condition : vous devez les aimer... ceci est très important.

Il m'est arrivé de donner des « rejetons » de mes plantes à des connaissances. Et bien, j'ai une de mes amies chez qui elles meurent à tout coup malgré mes bons conseils et ses petits soins.

Qui dira que les plantes n'ont pas besoin d'atmosphère et d'attention ?

En cela, elles nous ressemblent drôlement !

II

... Et des humains

« Les humains
sont comme les plantes:
ils ont besoin
d'un bon climat
pour grandir en beauté. »

Paul Tremblay

« Rien
n'aide plus quelqu'un
à grandir
que le sentiment
de se savoir aimé. »

Jean Vanier

« Tout
est parabole. »

Chris Sadler

Sylvie

Sylvie est une mignonne petite fille de cinq ans.
C'est l'une de mes amies les plus fidèles.
Quand je reviens du travail,
elle court à ma rencontre
pour me saluer ;
elle me fait un grand sourire
de ses belles dents blanches
et de ses petits yeux câlins.
De temps en temps,
elle m'apporte une fleur.
Alors, je lui dis bonsoir à mon tour
et je lui échange sa fleur
contre l'une des miennes.
Puis, je m'accroupis devant elle :
je me mets à sa hauteur,
car je ne veux pas
qu'elle attrape un torticolis à me regarder,
et je ne veux pas non plus la dominer de trop haut.
D'autres fois, elle me prend la main
et m'entraîne sur un banc du jardin.
Elle se blottit contre mon épaule
ou bien s'assoit sur mes genoux.
Elle est bien ainsi et moi aussi.
Elle me raconte sa journée
dans tous les détails,
puis elle me demande si ça va bien,
si j'ai travaillé fort aujourd'hui,

si j'ai quelque chose à faire ce soir...
C'est très intéressant.
On ne s'ennuie jamais ensemble.

Mais Sylvie est un tremble.
La moindre brise la fait vibrer.
Un rien la fait rire aux éclats,
un rien la fait pleurer aux larmes.
Elle n'aura jamais la solidité des bois durs,
c'est certain.
Mais elle aura la souplesse
et la délicatesse des bois mous.
Qu'elle rie ou qu'elle pleure,
elle est sûre de trouver chez moi
tendresse et affection.
C'est d'ailleurs pour cela
qu'elle aime ma compagnie.
Je l'aime bien trop pour la briser !
Petit à petit,
elle apprend tout doucement
à reconnaître ses émotions,
à les accepter
et à grandir avec elles.
Cet apprentissage sera long :
il ne se terminera sans doute jamais.
Apprendre à pousser des racines profondes,
capables d'assurer la fermeté de l'arbre
aux jours de grands vents,
cela ne s'apprend pas en une soirée...
Et moi aussi,

j'apprends beaucoup à son contact.
Elle m'enseigne
la patience, la douceur, l'écoute.
Elle m'apprend
que le temps donné à quelqu'un
n'est jamais du temps perdu.
Sa spontanéité m'empêche de vieillir
et la transparence de son regard
me renvoie à mon devoir de clarté
envers les autres.

Sylvie, tu es merveilleuse !
Garde ton sourire :
il illumine toutes les personnes à qui tu l'offres.

Marc-André

Marc-André, en bon amateur de canot,
est parti seul
au lever du soleil.
Il pagaie silencieusement
sur la nappe calme des eaux du lac.
Il s'en veut presque
de plonger son aviron
dans l'onde lisse comme un beau miroir.
C'est comme s'il tirait trop tôt de son sommeil
une grande dame
encore tout assoupie.
Et à mesure que le soleil se lève,
il assiste,
émerveillé,
au réveil de la nature.
La brume qui recouvrait le lac
s'est mise à monter :
elle se dissipe
lentement et subtilement,
comme une mousseline sur de la soie.
Le lac, peu à peu,
retire ses draps de bruine
et s'étire longuement à la lumière du jour.
Au-dessus des montagnes,
qu'il entrevoit
à travers le prisme déformant de la brumaille,
Marc-André voit le ciel se teinter

de rouge, d'orange et d'or.
Il voit se déployer,
sous ses yeux éblouis,
un spectacle grandiose.
Dans un silence presque religieux,
que seul le chant matinal des oiseaux vient distraire,
il glisse lentement sur l'eau.
Marc-André s'amuse à regarder
les ronds dans l'eau
que font les poissons gloutons
venus happer les mouches
qui volent en rase-mottes à la surface de l'eau.
Il s'est approché,
avec d'infinies précautions,
d'une famille de canards,
père, mère et trois petits,
qui naviguent en paix,
sûrs d'être seuls sur l'onde
à cette heure matinale.
Et Marc-André admire
la beauté de leur plumage,
la docilité des petits à suivre leurs parents
et l'art des parents à se faire suivre...
Il ne veut surtout pas les effrayer,
trop heureux de les contempler de si près.
Tout attentif à ses canards,
il a laissé son canot
dériver tranquillement
tout près du rivage.
Le voilà au beau milieu d'une « talle » de nénuphars.

Déjà, sous la caresse de la lumière,
les fleurs commencent à se déplier.
Pétales par pétales,
comme si elles voulaient,
très gracieusement,
dire bonjour au soleil.
Marc-André promène son regard sur ces beautés,
étalées sur leur lit de verdure
et se reflétant avec plaisir
dans le miroir du lac.

Et tout en revenant vers la rive,
au rythme de son aviron,
Marc-André s'est mis à penser :
« Ah ! si plus de gens pouvaient prendre
un bon bain de tranquillité et de paix,
notre monde serait peut-être moins énervé !
Ah ! si plus de gens pouvaient se nourrir
de lumière et de beauté,
notre monde serait peut-être moins laid !
Ah ! si plus de gens pouvaient s'ouvrir
au soleil de l'amitié,
comme les nénuphars,
notre monde serait sûrement meilleur !
Ah ! si... »

Nathalie

Elle est toute menue.
Elle ne parle à peu près jamais.
Elle ne fait rien
pour se faire remarquer.
Et pourtant,
quand elle est quelque part,
Nathalie-la-silencieuse,
Nathalie-la-douce,
Nathalie-la-discrète,
elle pacifie tout le monde.
C'est comme si elle nous communiquait
subtilement
les notes de sa musique intérieure.
Avec cette petite femme
de rien du tout,
les gens se sentent bien.
Elle apporte la paix
au coeur de tous.
Son simple sourire
fait toute la différence.
Sa simple présence
est bien plus parlante
que toutes ses paroles.

Nathalie,
c'est une petite fleur de muguet.
Vous savez,

cette petite fleur blanche
qui pousse en petites cloches
le long d'une brindille au printemps.
Fleur humble et délicate
s'il en est une.
Elle n'a pas la grandeur
des roses ou des pivoines :
elle est toute petite.
Elle n'a pas le coloris somptueux
des pensées ou des oeillets,
elle est toute blanche.
C'est à peine si on la distingue
dans la plate-bande.
Et pourtant,
il suffit d'une poignée de muguet
posée dans un pot,
sur la table de la cuisine,
pour que toute la maison sente bon.
Sa présence parfume tout.
Et tout le monde s'en trouve bien.

Tous n'ont pas le panache
des gens célèbres.
Tous n'ont pas l'éloquence
des grands orateurs.
Tous n'ont pas la prestance
des puissants de ce monde.
Mais, ne pensez-vous pas que,
s'il y avait plus de Nathalie en ce monde,
nous nous en porterions tous bien mieux ?

Pomerol

Il était une fois un pommier
qui n'en revenait pas des belles pommes
qu'il produisait à chaque automne.
Quand il était en fleurs au printemps,
il se trouvait bien beau
et se « gourmait » de contentement
rien que de voir les gens venir le contempler
et les photographes l'immortaliser en images.
Mais, sa joie la plus grande,
c'était à l'automne qu'il la savourait.
Alors, non seulement les gens venaient
admirer le coloris de ses fruits,
mais surtout ils venaient cueillir et manger
avec appétit
les belles pommes que dans sa bonté il leur donnait
et qu'il avait mis toute l'année à fabriquer.
Il était si content de faire à chaque année
l'apprentissage de la générosité
qu'il décida qu'à l'avenir
il rivaliserait encore davantage de bonté :
il fabriquerait des pommes
à l'année longue.
Il se mit à travailler jour et nuit.
Et, forcément, il ne respecta pas
le rythme des saisons.
Si bien — ou si mal —
qu'on le vit fleurir à l'automne

et faire des pommes au printemps.
À ce train d'enfer,
il ne tarda pas à s'épuiser.
Il mourut deux ans plus tard
de trop grande générosité.

Pomerol est bourré de talents.
Tout ce qu'il touche
se transforme en beauté.
Il est doué pour la peinture,
la sculpture, l'écriture, la « parlure »...
Les gens l'aiment :
ils apprécient ce qu'il fait pour eux
et ils le lui disent avec joie et reconnaissance.
Et, bien sûr, Pomerol est comme tout le monde :
il aime qu'on l'aime.
Pomerol est si content
de rendre service à l'humanité
et d'embellir le monde de ses oeuvres
qu'il ne prend presque plus le temps de vivre.
Il a commencé à « rogner » sur ses nuits ;
il n'a pas pris de vacances cette année ;
il saute régulièrement ses congés.
Les gens lui en demandent tant...
et il ne sait pas dire non ;
il ne veut pas ne pas leur rendre service.
Alors, il produit...
jour et nuit,
à longueur de semaines et d'année.
Mais il s'use... comme ce n'est pas possible !

Quand il dort, il dort mal.
Quand il mange, il digère mal.
Il ne rit plus.
Il se prend au sérieux, trop.
Il est déjà dans le vestibule d'un beau burn-out.
Le docteur l'a mis au repos complet.

Pomerol est un pommier
qui ne respecte pas ses saisons.
Pour faire plaisir,
pour rendre service,
pour être apprécié,
il est en train de se « déprogrammer » du tout au tout.
Mais, quand donc comprendra-t-il
qu'on ne peut fleurir et fructifier
sans jamais se reposer ?

Mariette

Mariette est une des femmes
les plus charmantes que je connaisse.
Sourire radieux,
politesse exquise,
maintien impeccable.
Vous entrez dans sa maison :
tout y reluit,
ça sent le propre partout,
tout est frotté, astiqué, poli, rangé.
Pas un brin de poussière,
elle la pourchasse à la loupe,
jusque dans ses derniers retranchements.
Quand Félix, son mari, revient de son travail,
il doit « ranger » à leur place
casquette, gilet, bottes.
Mariette ne supporte pas les « traîneries ».
S'il y avait un concours international
d'ordre et de propreté,
c'est Mariette qui serait championne, c'est sûr.
Seulement, dans sa maison,
vous ne trouverez pas une seule plante,
pas même un petit cactus.
Un jour que je pensais lui faire plaisir
en lui offrant un bouquet de chrysanthèmes,
elle m'a tout expliqué :
« Je n'aime pas les plantes ;
d'abord, ça me donne des allergies ;
dès que je les touche,
j'ai des boutons sur la peau ;
et puis j'ai essayé d'en cultiver,
je n'ai jamais réussi :

chez moi, les plantes meurent toutes ;
en tout cas, elles ne profitent pas !
En plus, ça demande de l'arrosage,
de l'engraissage, du transplantage...
J'ai bien trop d'ouvrage !
Tu comprends,
avec ma grande maison à entretenir,
je n'aurais vraiment pas le temps de m'occuper
de toutes ces fleurs. »
Alors, j'ai rapporté mes chrysanthèmes
et je les ai donnés à Héléna,
qui leur a trouvé une place
dans sa maison-jardin-botanique.
Et je me disais :
« Mariette, tu sauves tes meubles !
ta maison est un mausolée de marbre blanc,
mais c'est un mausolée !
Même Félix, ton mari,
est devenu pour toi un meuble,
presque un objet de musée.
Quand il rentre à la maison,
tu le « ranges » comme tout le reste,
et moins il « dérange » ton ordre domestique,
plus tu es heureuse ! »

Mariette me fait penser à ces anciens maîtres
qui sacrifiaient tout à l'ordre
et à la discipline en classe,
même l'affection de leurs élèves.
Pas étonnant que ces enfants avaient hâte
de sortir de l'école
pour s'épivarder un peu et vivre !
Les fenêtres ne se brisaient pas,
les encriers ne se vidaient pas sur le plancher,
mais les jeunes ne « poussaient » pas,

ils étouffaient de propreté, d'ordre, de bonne tenue.
Ils ne se sentaient pas aimés.
Ils n'avaient pas le sentiment
que leurs maîtres s'intéressaient à eux.
Quand des étrangers visitaient leur école,
le personnel était très fier
de montrer les corridors sans « traîneries »,
les murs sans graffiti,
les portes sans égratignures.
Les élèves étaient toujours bien alignés
sur deux rangs,
les souliers bien cirés et les habits bien propres.
Mais ils ne souriaient pas
et avaient toujours les yeux baissés.

« Mariette,
les enfants et même ton mari
sont comme les plantes.
Pour grandir, pour s'épanouir,
ils ont besoin d'être aimés,
de se sentir aimés,
ils ont besoin qu'on s'occupe d'eux,
qu'on perde du temps pour eux,
même si c'est au prix d'un plancher moins propre,
d'une chevelure mal peignée,
d'une casquette qui traîne sur la chaise
ou d'un peu de poussière dans les coins !
Sois sans crainte,
si tu aimes vraiment,
tes allergies disparaîtront,
tes plantes pousseront très belles,
ton mari deviendra « quelqu'un » pour lui et pour toi...
Car, pour ceux qui s'aiment,
tout est beau, absolument tout. »

Les épinettes du Parc

Avez-vous remarqué
les épinettes du Parc des Laurentides ?
Il y en a des milliers et des milliers.
Le plus souvent,
elles sont toutes
rabougries, égratignées et grincheuses.
Le vent du nord les a secouées,
la neige les a ébréchées,
le froid les a ratatinées.
Elles ont subi toutes les intempéries
de nos durs climats...
Pas surprenant qu'elles n'aient pas
l'allure des épinettes bleues de nos parterres,
dorlotées, enveloppées, protégées !
Mais, ce qui me frappe le plus chez elles,
c'est qu'elles restent debout malgré tout
et qu'elles continuent à vouloir vivre
avec courage et obstination.
Et, pour y arriver,
je crois qu'elles ont trouvé
le truc qu'il fallait :
elles s'appuient les unes sur les autres.
Avez-vous observé
comme elles sont serrées
les unes à côté des autres,
au point de former une vraie muraille
contre la neige et le vent ?

Elles ont besoin des autres
pour survivre et pour grandir.

Les humains,
ne pensez-vous pas,
ressemblent bien à ces épinettes.
La vie souvent
ne les a pas épargnés :
échecs de toutes sortes,
maladies, blessures au coeur, épreuves, etc.
Ils ont été balayés par les vents
de la colère et de la haine.
Ils ont été écrasés par les tempêtes
de l'oubli, du mépris et du rejet.
L'ennui les a déprimés.
La jalousie les a écorchés.
L'ambition les a desséchés.
Trop souvent, ils ont
le coeur en lambeaux,
la tête en pièces détachées
et les mains en charpie.
Ils sont brisés, inquiets, agressifs.
Ils sont, eux aussi,
rabougris, égratignés et grincheux.

Pour continuer à vivre
et à vivre debout,
chaque humain a besoin d'autres humains.
De ces pauvres êtres,
blessés comme lui,

mais qui, avec lui, forment ce mur solide
capable de résister aux pires coups de la vie.
Nous sommes faits pour vivre avec d'autres,
pour vivre en communauté.
Nous ne pouvons pas grandir tout seuls.
Malheur à l'épinette qui pousse en solitaire
et ne veut pas s'appuyer sur ses soeurs !
Elle ne résistera pas longtemps
aux grands vents de la vie
qui la coucheront vite par terre.
Bonheur à la personne
qui est solidaire des autres,
qui a besoin des autres.
Elle traversera les difficultés de la vie
en restant bien plantée sur la terre des humains.
Bien plus,
elle ne cessera jamais de grandir.

Rachel

Rachel a bien soixante-dix ans.
C'est ma deuxième voisine.
C'est aussi une femme remplie de délicatesse
et de paix.
On ne l'entend jamais élever le ton
et on ne la voit jamais lever le bras.
Elle est bien trop douce pour cela.
De temps en temps,
il lui arrive de passer devant ma maison.
Elle marche lentement, même péniblement,
en s'appuyant sur sa canne ;
et, quand je suis dehors à tondre la pelouse
ou à « éclaircir » mes fleurs,
elle s'arrête un moment
pour me regarder et reprendre son souffle.
Je m'arrête à mon tour
et nous nous saluons cordialement.
Chaque fois que j'ai eu l'occasion de la voir,
j'ai toujours été frappé
par la bonté et la beauté de son sourire :
on voit que les années lui ont donné de l'expérience
et aussi beaucoup de bienveillance
au coeur et au visage.
Mais, j'ai toujours remarqué dans ses yeux
un brin de tristesse,
une sorte de langueur,
qui m'ont longuement intrigué.

Un jour, je me suis hasardé à lui demander
si elle aimait vivre ici au milieu de nous.
Elle m'a répondu avec un sourire un peu fatigué :
« Vous savez, vous les voisins,
vous êtes bien gentils pour moi
et je vous aime bien.
Mais, depuis deux ans que je vis chez ma fille,
je ne me suis jamais habituée
à cette nouvelle demeure.
J'ai vécu soixante ans
dans la même maison à la ville.
Alors, vous comprenez,
c'est dur d'être transplantée à mon âge.
Voyez-vous, on ne déracine pas un vieil arbre,
il finit toujours par en mourir ! »

C'est à ce moment que j'ai compris
son sourire de bonté et son regard de tristesse.
« On ne déracine pas un vieil arbre. »
Combien de personnes âgées souffrent
de ces transplantations, parfois nécessaires, hélas !
de la maison au foyer d'hébergement !
Comme il faut de l'attention et de l'affection
pour aider ces gens à reprendre goût à la vie
et s'accoutumer à leur nouvel habitat !
Cela s'appelle
visites, lettres, téléphones, cadeaux...
Cela se traduit
par présence, bienveillance et bienfaisance...

Je me souviens que l'un de mes amis,
entrepreneur de son métier,
a transplanté un chêne de trente pieds de haut
juste devant sa demeure :
il a repris vie sous ses yeux ébahis.
Mais, que de soins il a dû lui donner,
en terre, en engrais, en eau
et en surveillance de tous les jours !

Il n'y a pas d'âge où il est interdit d'aimer.
Il n'y en a pas non plus
où il est défendu d'être aimé !

François

C'était un beau matin de juillet.
François prenait le frais
en se promenant le long de ses plates-bandes
juste avant d'aller à son travail.
François se rinçait l'oeil
et prenait un bain de beauté.
Ses zinnias scintillaient
de toutes les couleurs de l'arc-en-ciel
à travers les gouttes de rosée ;
ses oeillets-poètes faisaient des vers
pour lui dire bonjour ;
et les ancolies,
comme toujours,
le saluaient discrètement
de leur air un peu triste,
mais gentil quand même.
Et puis, les grands soleils
le réchauffaient de leurs rayons
du haut de leurs deux mètres ;
les lanternes chinoises
éteignaient une par une leur lumière,
car « si monsieur était là,
c'est que la nuit était terminée » ;
et les pourpiers
ouvraient doucement leur corolle
encore toute humide
comme pour sourire à François.

Les passeroses
s'étaient toutes mises au garde-à-vous
devant le maître,
tandis que les très humbles pensées
étaient à ses pieds
toutes prêtes à faire reluire ses souliers
de leurs velours délicat.
Oh ! que François était heureux
et qu'il faisait bon se trouver
au milieu de tant de petites merveilles !
Et François avait déjà cueilli
quelques reines-marguerites
pour Margot, sa secrétaire.
Il se dirigeait maintenant
vers ses rosiers :
il voulait offrir un beau bouquet
à Chantal, son épouse bien-aimée.
Il avait déjà des fleurs plein les bras
lorsqu'il se trouva tout à coup devant un rosier
qui fabriquait « pour le plaisir » et « comme ça »
les plus belles roses rouges de son jardin.
Il s'arrêta pour contempler ces pures beautés.
Son regard s'attarda sur un bouton si gros
que sûrement il allait s'épanouir
dans la journée même.
François voulut l'aider un peu.
Avec mille précautions,
il toucha les pétales pour les ouvrir tout doucement.
Pauvre François
et pauvre rose !

Ce qu'il toucha se fana presque aussitôt.
Ce n'était pas l'heure.
Et François, en voulant aider, avait nui, hélas !

Les roses sont délicates,
les gens aussi.
Il ne sert à rien de tirer sur leurs pétales
pour les faire pousser plus vite.
Il faut attendre leur heure
avec patience et espérance.
Faire confiance à la fleur :
elle arrivera à maturité en son temps.
Il ne sert à rien
de vouloir faire des adultes
avec nos enfants avant l'heure.
Il ne sert à rien
de vouloir tirer dessus
pour qu'ils grandissent plus vite.
Il faut attendre,
avec beaucoup d'amour.
Leur faire confiance obstinément.

Arthur

Il était une fois un érable vénérable
qui, depuis des dizaines d'années,
donnait au printemps
une eau sucrée de très grande classe
et, à l'automne,
des feuilles aux couleurs incomparables.
Il faisait l'envie des érables plus jeunes
qui n'en revenaient pas
de le voir si beau et si productif
« à son âge ! »
Il est vrai que ses confrères érables
s'étaient enfoncés depuis belle lurette
dans la stérilité et la fadeur.
Comment pouvait-il demeurer aussi jeune
alors qu'il était aussi vieux ?
Comment pouvait-il même être meilleur
d'une année à l'autre ?
Un jour, néfaste entre tous,
une jeune pruche,
tout fraîche sortie d'une pépinière « patentée »,
bardée de diplômes
et cousue de principes,
vint planter son pied dans le décor forestier,
juste à la « porte voisine » de notre érable.
Elle décréta, du haut de sa science,
que cet érable n'était « pas correct »
et qu'« il devait prendre son rang »

comme tous les érables de son âge !
Elle se mit à le harceler :
à toutes les deux heures,
elle lui lançait une salve d'aiguilles ;
tous les soirs,
elle barbouillait son tronc de gomme ;
et, tous les deux jours,
elle lui envoyait une armée d'araignées.
Notre érable n'en finissait plus de se défendre
contre ces envahisseurs.
Le meilleur de son énergie y passait
au détriment de ses productions printanières
et automnales.
Il se mit à dépérir petit à petit.
Il finit par mourir,
assassiné par cette pimbêche entêtée,
plus préoccupée de sauver les principes
que de laisser vivre les gens.

Arthur est un musicien prometteur.
Non seulement il joue du violon comme Menuhin,
mais il compose comme Vivaldi.
Mais, comme il est jeune,
il n'a pas encore beaucoup de renommée
et il suit encore des cours de composition
dans une école de musique d'une grande ville.
Josepha, son professeur, est réputée pour sa sévérité
et pour son incapacité maladive
à déroger des lois établies,
ne fût-ce que d'un seul petit bémol.

Cela se traduit d'ailleurs
jusque dans sa tenue :
jamais le moindre sourire n'enjolive ses lèvres serrées,
elle marche le corps droit comme une statue
emprisonnée dans son corset de marbre ;
jamais personne ne l'a vue plier
pas même d'un centimètre.
Arthur avait passé des jours et des nuits
à composer un concertino pour violon.
Il y avait mis tout son coeur et toute son âme,
il s'était appliqué
non pas uniquement à aligner des notes
selon les règles de l'art,
mais aussi à y faire passer ses émotions, sa passion.
C'est avec grand enthousiasme
qu'il présenta son manuscrit à Josepha.
Quelques jours plus tard,
Josepha lui remit son manuscrit,
du bout des doigts
et du haut de sa grandeur.
Il était maculé de « corrections »
à toutes les cinq notes...
il fallait tout recommencer
et composer comme elle le voulait...
« Ce n'est pas comme cela
que l'on écrit de la musique :
vous ne suivez pas les règles ! »
Arthur s'en trouva insulté.
Il arracha son manuscrit des mains
de sa « correctrice »

et lui dit la rage au coeur :
« C'est ma musique
et je n'en changerai pas une note ! »

Josepha n'admet pas
la moindre transgression
à « ses » règles.
Elle ne sera jamais une artiste !
Pas étonnant qu'elle ne soit qu'une institutrice
prenant ses élèves pour des enfants de cinq ans
et absolument incapable de comprendre
qu'« il y a des exceptions à la règle ! »
Elle a déjà, par son comportement rigide,
assassiné plusieurs Mozart et plusieurs Chopin !
Mais elle n'a pas réussi à étouffer Arthur
qui s'est sorti au plus vite de ses griffes
de répétitrice sans âme
pour devenir un musicien célèbre.

Roseline

Roseline possède un rosier d'intérieur
qu'elle ne quitte jamais des yeux.
Tous les matins,
c'est l'inspection systématique.
A-t-il des poux ?
Vite, l'insecticide.
A-t-il une branche morte ?
Vite, le sécateur.
A-t-il une feuille trouée ?
Vite, les ciseaux.
Et le rosier n'en finit plus
de se faire surveiller
et de se faire travailler.
Il est fatigué
et trouve Roseline bien fatigante.

Mais, Roseline
a aussi un petit gars de six ans.
Et, comme Roseline a de la suite dans les idées,
elle le traite comme son rosier.
Le petit Éric n'a pas le droit d'être sale,
d'avoir une culotte déchirée
et des égratignures aux genoux et aux coudes,
comme tous les enfants de son âge.
Roseline se morfond
en avertissements et en commandements :
« Ne va pas là,
fais attention à ceci,
ne cours pas, etc. »
Et le petit Éric est fatigué
et trouve sa maman bien fatigante.

Les racines

Les racines sont très humbles :
la plupart du temps, on ne les voit même pas.
Les racines n'ont pas de belles couleurs :
elles sont fades et ternes.
Les racines sont peu attirantes :
à leur contact, on se salit les mains.
Les racines n'ont pas choisi
d'être des racines :
elles auraient sans doute préféré
être des feuilles ou des fleurs ou des fruits.
Il n'en demeure pas moins
qu'elles sont des racines,
humbles, ternes et salissantes.

Et pourtant,
les racines sont nécessaires.
Pas de racines,
pas d'arbre.
Un arbre sans racine
tomberait par terre
au moindre vent.
Bien plus,
il mourrait,
incapable d'aller chercher
sa nourriture
au coeur de la terre.

Les pépiniéristes et les jardiniers
le savent très bien,
eux qui prennent tellement soin
des racines.
Ils ameublissent la terre,
ils la sarclent,
ils l'engraissent,
ils l'arrosent,
ils la « nettoient » de ses mauvaises herbes.
Ils se donnent tout ce mal
pour avoir des racines en bonne santé.
Et alors toute la plante est belle
et tout le monde est content.

Les pauvres sont très petits :
la plupart du temps, on ne les écoute pas ;
ils sont sans-voix, sans-avoir, sans-pouvoir.
Ils n'ont pas d'importance.
Les pauvres ne sont pas très intéressants :
souvent, ils n'ont pas d'instruction,
ils n'ont pas d'argent,
ils n'ont pas de conversation.

Les pauvres ne sont pas très attirants :
souvent, ils sont mal éduqués,
ils sont mal habillés et malpropres,
ils sont malades.

Les pauvres n'ont pas choisi d'être pauvres.
Ils auraient sûrement aimé mieux

avoir un bon compte en banque,
avoir une bonne réputation,
avoir une bonne santé.

Il n'en reste pas moins
qu'ils sont des pauvres.

Il y a des pauvres dans nos sociétés,
même capitalistes et nord-américaines !
Peut-être servent-ils à quelque chose !
Qui sait ?
Peut-être, par exemple, à nous rappeler
qu'il faudrait nous occuper d'eux,
comme l'arbre s'occupe de ses racines!
Il faudrait peut-être
les nourrir,
leur donner des conditions de vie raisonnables,
et surtout leur redonner l'espoir, le goût de vivre.
Peut-être même
sont-ils nécessaires ?
Non pas dans le sens
qu'ils doivent rester pauvres,
mais dans le sens
qu'ils rappellent aux plus riches
de leur donner de leurs biens
chaque fois que c'est nécessaire,
qu'ils rappellent
à ceux qui ont du travail
de le partager
avec les chômeurs.

Quelle monstruosité
que des fleurs qui s'embelliraient
sur le dos des racines !
Quelle tristesse
que des riches qui s'enrichiraient
en exploitant des pauvres !
Si par hasard il se trouvait
que les pauvres soient
les racines de l'arbre de nos sociétés...
en bons jardiniers,
avec quel soin
nous nous en occuperions !

On juge de la bonne santé d'un arbre
aux soins qu'on donne à ses racines.
On juge de la bonne santé d'une société
à la qualité et à la quantité des soins
qu'elle fournit à ses plus démunis !

Roland et Maria

Roland « sortait » avec Maria,
comme on dit chez nous.
Il l'aimait tellement
qu'il n'en portait plus à terre,
qu'il importunait tout le monde
avec sa Maria,
qu'il en parlait partout,
qu'il en mangeait tout le temps,
qu'il en rêvait jour et nuit...
Bref, il aurait voulu
être toujours avec elle.
C'était Maria par-ci,
Maria par-là,
Maria partout,
Maria toujours.
Et quand il était avec elle,
il voulait tellement
qu'elle soit bien à l'aise en tout
qu'il en devenait inconfortable.
« Est-ce que ta chaise est bien placée, Maria ?
Il ne te manque rien, Maria ?
Tu n'as pas trop d'air, j'espère ?
Est-ce que je peux faire
quelque chose pour toi, chérie ? Etc. »
Un bon jour,
Maria se fatigua
de cet amour surprotecteur.
Elle le lui dit tout de go :
« Écoute, Roland,
veux-tu bien me laisser tranquille ? »
Roland faillit en avaler son « gorgotton ».

Lui qui pensait si bien l'aimer !
Mais il eut assez d'amour et d'intelligence
pour corriger sa façon d'aimer.
Aujourd'hui,
Roland et Maria forment un couple adorable.
Et de temps en temps,
c'est Maria qui dit à Roland :
« Il me semble que tu m'oublies un peu !
Tu sais, j'aimais bien le temps
où tu t'occupais de moi ! »
Ah ! la merveilleuse nature humaine !

Roland me fait penser à Céline,
ma voisine d'en face.
Elle avait un bégonia royal superbe.
Et elle le dorlotait
comme ce n'est pas possible :
en plus des regards langoureux de contemplation,
il y avait l'arrosage à l'hygromètre,
l'engrais naturel,
la lumière ;
et puis jamais de courants d'air,
mais toujours une température égale ;
jamais de déplacements,
mais toujours dans le salon,
près de la grande fenêtre.
Couvée, gavée, surprotégée,
la plante était à l'abri de tout
parce qu'au fond elle était surtout
sous la jupe de sa maîtresse.
Un jour, Céline décida
de changer les rideaux de sa grande fenêtre
et demanda à Léonard, son conjoint, de l'aider.
Toujours aussi rapide,
Léonard s'empara du beau bégonia

et le déplaça sans ménagements
jusque dans la cuisine,
sous les yeux ahuris de Céline :
changement de décor,
de lumière, de température.
Pauvre plante !
Pauvre Céline !
Elle faillit avoir une syncope :
« Léonard, qu'est-ce que tu fais là ?
Tu n'as pas de pitié pour ma plante ! »
De fait, le bégonia ne payait pas d'apparence :
le pot était croche,
une feuille était brisée
et quelques fleurs étaient ébréchées.
Le lendemain,
quand Céline voulut tout remettre en place,
le bégonia en avait pris pour son rhume.
Tout était bas chez lui :
les fleurs, les feuilles, les branches.
Et Céline était encore plus basse !
« Tu t'en occupes trop, de lui dire Léonard,
c'est pour cela qu'il est si fragile !
Laisse-le vivre tout seul un peu ! »

Le couvage, le gavage, la surprotection,
qu'ils s'appellent maternalisme ou paternalisme,
sont autant de manières de mal aimer
et d'empêcher de grandir.
Les éducateurs possessifs
sont de mauvais éducateurs :
ils développent une dépendance excessive,
et souvent « tyrannisante »,
envers leurs « protégés »
et les empêchent de devenir peu à peu autonomes.
Et c'est bien dommage pour tout le monde !

Maryse

Maryse passe tout son temps dehors
à travailler ses plates-bandes,
à planter, déplanter, replanter...
Elle construit des rocailles
qu'elle défait ensuite:
« Elles n'étaient pas à mon goût...
Et puis ça m'occupe,
ça me fait prendre de l'air
et ça me fait faire de l'exercice ».
Si ce n'était que cela,
ça pourrait encore aller !
Mais, le problème,
c'est que ses pauvres plantes n'en finissent plus
d'essayer de s'adapter
à toutes ces transplantations
et à leur nouvel environnement.
Je me demande parfois
si Maryse n'aime pas plus ses arrangements
que ses plantes.
Je me souviens d'une épinette bleue
que Maryse avait achetée à gros prix
à la pépinière du village.
Elle la planta d'abord
devant son entrée principale.
Mais « elle n'avait pas assez de soleil »,
de dire ma voisine.
Alors, elle la déplanta

pour la replanter en arrière.
Mais elle trouva qu'elle n'allait pas avec le catalpa
qui poussait tout près.
Alors elle la transplanta le long de sa galerie
« en attendant de lui trouver une autre place »,
parce qu'en grandissant
« elle nuirait au linge accroché à la corde ».
Finalement, ne sachant plus où la planter
et la trouvant toute rabougrie et laide
— il y avait de quoi ! —
elle la donna à un voisin
qui avait un terrain encore sans arbres.
Pauvre épinette mal-aimée,
mal-partie dans la vie !

Encore s'il ne s'agissait que d'arbres !
Mais quand il s'agit de personnes humaines !
Combien de jeunes
sont devenus de véritables « enfants-ping-pong »,
ballottés d'un lieu d'hébergement à un autre,
mal-aimés ou pas aimés du tout,
encombrants, inutiles pour beaucoup ?
Jean-Claude est l'un de ces jeunes
qui n'a jamais réussi à pousser d'aplomb,
tellement il a été promené
d'une institution à l'autre.
À l'âge de ses dix ans,
ses parents décidèrent
qu'« il était de trop »,
comme il le raconte lui-même.

Ce fut l'hébergement
chez un oncle et une tante
« en attendant ».
Et puis, on le plaça dans un collège
qui prenait encore des pensionnaires.
Mais, mal-aimé comme il l'était,
il se montra vite indiscipliné,
peu studieux et fort entêté.
Les difficultés recommencèrent.
Si bien — ou si mal — qu'il s'enfuit du collège.
Mais il fallait bien manger et dormir...
et gagner sa vie.
Bien souvent,
Jean-Claude dormit à la belle étoile
dans un fossé,
sous un pont
ou au milieu du bois.
Passe quand c'est l'été...
mais quand c'est l'hiver !
Il se mit à voler à l'étalage
pour se nourrir,
pour s'habiller un peu,
pour fumer...

Il se fit « ramasser » par la police :
interrogatoire, tribunal de la jeunesse, etc.
On le plaça dans un foyer nourricier
d'où il s'enfuit
parce qu'on abusait de lui.
De fugues en coups et de coups en fugues,

il fit à peu près
tous les centres d'accueil de la région.
Aujourd'hui,
il est comme l'épinette de Maryse :
rabougri,
agressif,
insécure,
méfiant,
violent.
Il a été tellement transplanté
qu'il ne croit plus en rien
ni en personne
et qu'une nouvelle transplantation
ne lui fait ni chaud ni froid.
Il ne grandit plus.
Il se moque de tout et de tous.
Incapable d'aimer et d'être aimé.
Et je suis triste
pour Jean-Claude...

Olivier

Il était une fois un prunier très orgueilleux.
Si orgueilleux qu'il était incapable
d'admettre ses erreurs et ses échecs.
Un jour, une de ses prunes se fit piquer
par un méchant ver
qui lui fit une profonde blessure dans la chair,
jusqu'au coeur.
Incapable de reconnaître
que l'une de ses prunes était avariée,
il s'arrangea
pour pousser une feuille
de façon à couvrir la blessure de la prune.
Mais les connaisseurs de pruniers
savent bien qu'un fruit ne s'enroule pas
dans une feuille.
Un cerisier s'avisa de le lui faire remarquer.
Il fut vertement semoncé.
Bien plus, notre prunier,
non content de sauver les apparences,
se mit à se chercher des approbateurs.
Il réquisitionna un groseillier et même un poirier
qui lui dirent qu'une feuille collée à un fruit,
ça n'était pas fréquent,
mais que cela pouvait arriver.
Et notre prunier s'enfonça
un peu plus dans sa fausseté
et dans son orgueil...

Olivier est très fier de sa personne.
Il passe une bonne heure chaque matin
devant son miroir
juste pour se laver, se raser, se peigner, se parfumer...
Il est toujours tiré à quatre épingles...
son apparence est absolument impeccable.
L'autre jour, il lui poussa un malheureux petit bouton
juste sur le bout du nez,
ce qui arrive parfois dans la vie.
Olivier ne le prit pas.
Il le frotta délicatement puis vigoureusement.
Voyant que rien n'y faisait,
il le rasa, le coupa, le graissa et le colora,
pour que le tout ressemble le plus possible
au reste de son appendice nasal.
Cynthia, sa petite nièce de quatre ans,
espiègle comme une belette
et curieuse comme une fouine,
lui dit avec une belle candeur :
« Mon oncle, tu as essayé
de faire partir ton bouton ? »
Il lui répondit,
rouge comme une pivoine :
« Tu apprendras
que je n'ai jamais eu de bouton,
c'est en me rasant
que je me suis coupé ! »
Et Cynthia de rétorquer
toujours avec sa belle simplicité :
« Ah ! je ne savais pas

que tu avais du poil
sur le bout du nez ! »
Et tout le monde de s'esclaffer.
Le pire,
c'est qu'il se trouva tante Jeanne
pour dire à Cynthia :
« Voyons donc, ma petite,
t'es bien trop jeune pour connaître ces choses-là ! »
Olivier ne manqua pas
de jeter un long regard de reconnaissance
à tante Jeanne.
Et l'honneur fut sauf.
Sauf que...
Olivier s'enfonça un peu plus
dans sa fausseté
et dans sa vanité !

Rose-Rose

Rose-Rose aimait les roses,
cela va de soi.
Il y en avait partout chez elle :
des plus petites aux plus grandes,
des plus simples aux plus compliquées,
des plus pâles aux plus foncées.
Elle les « cultivait »,
c'est le cas de le dire.
Avec Rose-Rose,
les roses étaient aux petits soins.
Jour et nuit,
elle les nourrissait,
elle les soignait,
elle les dorlotait.
Et les roses de Rose-Rose
poussaient en beauté.
Les gens qui venaient lui rendre visite
ne tarissaient pas d'éloges
sur ses fleurs
et sur ses talents de botaniste.
Et Rose-Rose
poussait en vanité.

Un jour,
Rose-Rose s'avisa
de présenter ses plus belles roses
à un concours de beauté.

Elle ne douta pas un seul instant
qu'elle raflerait tous les prix,
sûre de ses fleurs
et surtout d'elle-même.
Mais, voilà,
suprême injure,
les juges,
ô malheur !
ne lui accordèrent même pas
une petite mention.
Rose-Rose ne le prit pas :
elle fit une colère bleue
et ne manqua pas une occasion
de critiquer ces juges ignorants,
ces « experts » incompétents,
ces savants insignifiants.
C'est elle qui avait raison,
bien sûr.
Car elle ne pouvait pas avoir tort.

Rose-Rose est aussi chanteuse d'opéra.
Il serait plus juste de dire
« fut » chanteuse d'opéra.
Un beau jour,
elle décida d'organiser une série de concerts
à travers les grandes villes d'un pays voisin.
Il y aurait foule, c'était certain.
Il suffirait d'enfiler à la suite,
comme les perles d'un collier,
les airs les plus célèbres,

ses plus grands « hits » d'autrefois.
Et l'effet serait extraordinaire :
le succès serait assuré
et les recettes seraient « intéressantes ».
Mais, voilà !
Les critiques,
ô surprise !
furent terriblement négatives.
Le spectacle était du « réchauffé »,
il sombrait dans la facilité,
il était mal préparé,
il n'avait qu'un but :
faire des gros sous
sur la naïveté des mélomanes ;
et le meilleur de la « diva » était nettement
derrière elle !
Rose-Rose en fut fortement insultée.
Son sang fit demi-tour.
Et la bile lui monta jusqu'aux lèvres.
Elle piqua une colère de sept jours.
Folle de rage,
elle attaqua tout le monde :
dans les journaux,
à la radio,
à la télévision.
Le public la trahissait,
les critiques étaient stupides,
les journalistes étaient des débiles.
Elle fit la une des médias
mais se couvrit de ridicule.

Elle fit parler d'elle
mais ne montra pas
le plus beau côté d'elle-même.

Comme pour ses roses,
Rose-Rose eût mieux fait
de se taire
et d'avaler l'échec
en même temps que la vérité.
Elle aurait grandi
dans l'opinion publique
au lieu de montrer
le petit côté de son caractère.
Elle aurait peut-être appris aussi
qu'on ne grandit pas seulement
par le succès
mais aussi par l'insuccès.
Elle aurait compris également
qu'il faut savoir partir
un moment dans la vie.
Sinon, ce sont les autres qui vous l'apprennent
et cela est parfois bien pénible.

Pivard

Il y avait, dans la montagne, deux arbres
qui poussaient chaque côté d'un sentier
emprunté par les touristes
pour se rendre au « lac des bouleaux noirs ».
Un grand chêne et un petit pin blanc.
À vrai dire, ils ne se parlaient pas beaucoup.
Ils se disaient bonjour le matin
pour les convenances.
Mais c'était tout.
Pour ne rien vous cacher,
ils étaient même un peu jaloux l'un de l'autre.
Le petit pin trouvait
que le grand chêne prospérait un peu trop.
Quant au chêne,
il trouvait que le pin lui faisait la moue
un peu trop souvent.
Un jour, le grand chêne subit une terrible épreuve :
il fut envahi par une armée de chenilles
qui lui percèrent ses belles feuilles
et lui mordillèrent sauvagement sa rude écorce.
Mais, ce qui lui fit le plus mal,
c'est le commentaire du petit pin :
« Les chenilles ne s'attaquent qu'aux grands,
elles sont bien trop dédaigneuses
pour s'intéresser à un petit pin comme moi ! »
Le grand chêne encaissa le coup,
tout occupé qu'il était à se défendre
contre l'invasion qui le minait de partout.
Mais voilà que quelques jours plus tard
ce fut au tour du pin
d'avoir la visite d'un bataillon de sauterelles

qui lui coupèrent rapidement ses belles aiguilles
et lézardèrent outrageusement son beau tronc.
Le pin en était fort humilié.
Le grand chêne ne passa pas de commentaire,
estimant que l'épreuve que subissait le pin
lui servirait de leçon bien méritée.

Pivard parle à propos de tout et de rien :
il critique tout le monde,
fait des remarques à tout bout de champ,
et des commentaires pour tout ce qu'il voit.
L'autre jour,
il a proféré des remarques assez acidulées
à l'endroit de Jean-Pierre, son voisin,
qui avait dû manquer deux jours de travail
à cause d'une bonne indigestion :
« On sait bien, ces gens-là,
ça mange n'importe quoi
à n'importe quelle heure du jour ! »
Jean-Pierre eut vent des commentaires de Pivard
mais il fit comme si de rien n'était.
Quelle ne fut pas sa surprise,
deux semaines plus tard,
d'apprendre que Pivard était à l'hôpital
pour soigner un ulcère d'estomac
dû à de l'hyperacidité... !

La sagesse populaire dit :
« Il ne faut pas cracher en l'air,
tôt ou tard cela vous retombe sur le nez ! »

Lisette

Lisette était un joli brin de fille,
pleine de vie, de joie et de spontanéité.
Deux grandes mèches de cheveux blonds
qui volaient au vent
quand elle chantait et dansait.
Un grand sourire
qui était un vrai rayon de soleil
pour tous ses amis.
Des yeux clairs comme le cristal.
Oui, un joli brin de fille
que cette Lisette !
À cette époque,
elle terminait son école élémentaire.
Mais maintenant !
Elle est comme une limace,
toute repliée sur elle-même,
toute « renfrognée »,
comme disent les gens d'ici.
Le sourire, les cheveux au vent, la danse...
partis, envolés !
« Elle est dans sa période difficile »,
disent les parents
et... les voisins.
Il est vrai que Lisette est passée
d'une classe de trente aux groupes-classes,
de deux professeurs à une dizaine,
d'une école de deux cents à une de douze cents.

Bien sûr, il fallait bien que Lisette
passe de l'élémentaire au secondaire
pour poursuivre ses études.
Bien sûr, bien sûr !
D'autant plus que bien des amis de Lisette
ont fait le même chemin qu'elle
et n'ont pas changé comme elle !

Mais je suis triste pour Lisette
qui elle aussi est devenue bien triste.
Que s'est-il passé
et que se passera-t-il ?
Car, enfin, nous aimons bien trop Lisette
pour la laisser dans cet état !

Je me souviens qu'un beau jour ensoleillé de juin,
alors que la terre et l'air étaient
suffisamment réchauffés,
il me vint à l'idée de transplanter à l'extérieur
certaines plantes que j'avais jusque-là
toujours cultivées à l'intérieur de ma maison:
un lierre, un mille-fleurs et un diffenbachia.
Finies les températures égales,
terminés les arrosages réguliers ;
du « gros soleil » toute la journée,
de l'eau quand il en tombera,
et puis protégez-vous comme vous pourrez
des guêpes, des araignées, des puces et des autres
bestioles !

Que se passa-t-il ?
Le lierre allemand,
qui est une plante vigoureuse,
devint resplendissant :
ses feuilles s'élargirent,
s'épaissirent et se mirent à ramper,
que dis-je, à courir,
si bien qu'à la fin de l'été
il avait littéralement envahi
tout le mur de pierre où je l'avais transplanté.

Mais le mille-fleurs et le diffenbachia !
Ce fut la catastrophe
et, pendant un temps, je craignais le pire.
Ils perdirent tous les deux toutes leurs feuilles ;
et l'autre fut dépouillé en plus de ses mille fleurs !
Ils furent réduits à l'état de « cotons »
s'élançant vers le ciel, implorants et suppliants !
Et puis, un beau matin,
le mille-fleurs se mit à pousser de nouvelles feuilles
plus larges, plus vertes,
et peu après des fleurs apparurent
plus nombreuses, plus colorées.
Il s'était adapté à son nouvel environnement
et était devenu plus beau que jamais.
Quant au diffenbachia,
il faisait de temps en temps une feuille
qui jaunissait invariablement et finissait par tomber.
Il recommença à être beau
quand il réintégra l'intérieur de la maison.

Lisette n'est pas un lierre allemand,
la preuve en est faite.
Est-elle un mille-fleurs ou un diffenbachia ?
Nous verrons bien !
À cause de mon affection pour Lisette,
je souhaite qu'elle soit un mille-fleurs.
Et pour finir, il faut dire à ses éducateurs :
dans la croissance des plantes
et des êtres humains,
le jardinier est pour quelque chose,
c'est sûr ;
mais il ne pourra jamais remplacer
un bon environnement.
Chacun sait que malgré les soins les meilleurs
et les techniques les plus avancées,
jamais un botaniste n'a réussi
à faire pousser un palmier au pôle nord !
Nous le savons pour les plantes...
Le savons-nous toujours pour les humains ?

Sylvain

Stella
avait une violette africaine
que Stéphanie, sa meilleure amie,
lui avait donnée pour son anniversaire.
Stella aimait beaucoup sa violette :
tous les matins,
elle la contemplait longuement
et lui parlait tendrement ;
tous les deux jours,
elle l'arrosait à l'eau de pluie ;
toutes les semaines,
elle sarclait le sol
pour ameublir la terre ;
et tous les mois,
elle lavait les feuilles avec du lait
pour qu'elles reluisent comme du satin.
Mais, c'était là qu'était le problème :
les feuilles.
Jamais, de mémoire de Stella,
cette violette n'avait produit de fleurs.
Des feuilles, rien que des feuilles, toujours des
feuilles !
Et Stella s'interrogeait, s'inquiétait, se désolait.
Qu'est-ce qui pouvait bien lui manquer ?
Que fallait-il lui faire
pour qu'elle finisse par donner des fleurs ?
Elle décida de prendre les grands moyens.

D'abord, elle transplanta sa violette
dans de la « terre à violette ».
Puis, elle la mit près de la fenêtre
au soleil du matin
et enfin elle lui servit
une bonne dose d'engrais par mois.
Ses efforts ne tardèrent pas à être récompensés :
des fleurs magnifiques
vinrent égayer le paysage fauve des feuilles.

Sylvain
poussait dans une terre ingrate et dure
que les savants appellent l'adolescence.
Le visage plein d'acné,
le coeur tout replié sur lui-même,
la tête toute mêlée en-dedans.
Méfiant, insécure, fermé.
Bête et dur tout à la fois et trop souvent.
À la recherche de lui-même.
Incapable de s'aimer.
Blessé par lui-même
encore plus que par les autres.
Ses parents n'y comprenaient rien,
eux qui pourtant l'aimaient
et continuaient de l'aimer malgré tout,
eux qui lui donnaient de bons conseils
et l'éduquaient dans les « bons principes »
et dans les « bonnes manières ».
Puis, un jour,
Sylvain émergea de son impuissance

comme un papillon quitte sa chrysalide,
comme un escargot sort de sa coquille.
D'où lui vint cette métamorphose
aussi souhaitée qu'imprévisible ?
C'est bien simple.
C'est une petite fille qui a nom Lucie.
C'est elle qui a fait toute la différence.
Au soleil de son amitié et de sa tendresse,
Sylvain a repris vie :
il a retrouvé le sourire et la paix intérieure.
Lui qui semblait mort
s'est remis à vivre.
Il est même devenu capable
de prendre des responsabilités
dans un mouvement de jeunes.
Il a retrouvé goût à la vie
et a perdu son air renfrogné.
C'est merveille de le voir.
Il fleurit la tolérance, la joie, la disponibilité.
Il s'épanouit en beauté et en force.
Il n'est plus reconnaissable.

L'amour n'aura jamais fini de nous étonner
et de faire de petits miracles !

Adrienne

En fait de mère de famille,
exemplaire et courageuse,
il n'y en a pas comme Adrienne.
Elle a six enfants —
ce qui est un « exploit » de nos jours —
de beaux enfants : deux à treize ans.
Parfois, la famille vient veiller chez moi.
Je vous assure
qu'en ces moments-là
il y a du mouvement dans la maison :
mes plantes en prennent pour leur rhume !
D'autres fois,
c'est moi qui leur rend leur visite.
Et quand les enfants sont couchés,
la conversation s'engage souvent
sur les enfants à élever,
« pour qu'ils ne fassent pas honte à leurs parents »,
« pour qu'ils fassent leur chemin dans la vie »,
« pour qu'ils soient heureux », etc.
Adrienne aime sa famille :
elle ne vit que pour elle.
Elle veut le bonheur de ses enfants, c'est sûr.
Adrienne est comme un chêne :
solide, résistante, forte, volontaire,
capable de sacrifice.
Bref, c'est une femme merveilleuse,
presque la femme forte de la Bible !

Seulement, ses enfants ne sont pas tous des chênes !
Son plus vieux, Sébastien,
aime rêver et déjà il s'intéresse à la poésie :
« Je me demande où il a pris ce goût-là,
me dit Adrienne,
son père est un ouvrier
et moi je viens de la campagne ! »
La deuxième, Micheline,
déjà grande pour ses onze ans,
ressemble à sa mère :
travaillante, ordonnée, active.
Adrienne ne me cache pas que c'est « sa préférée ».
Quant aux quatre autres,
trois garçons et une fille,
« Leur père et moi, nous allons les élever
pour qu'ils ressemblent à Micheline ! »
C'est tout dire !

Adrienne, ma bonne Adrienne,
tu ne peux pas et tu ne dois pas
élever tes enfants
pour qu'ils soient tous des chênes !
Bien sûr,
il est souhaitable
que tous « reçoivent de bons principes »
et que tous « puissent se débrouiller honorablement
dans la vie ».
Mais, si tu as mis au monde un peuplier,
l'important, n'est-ce pas qu'il devienne
un magnifique peuplier ?

Regarde le rond de fleurs
que tu as fait devant ta maison.
Il ne te vient pas à l'idée
de transformer tes pétunias
en reines-marguerites !
Mais tu t'appliques à faire de tes pétunias
les plus beaux pétunias du monde !
Et tu y réussis fort bien !
Tes enfants deviendront ce qu'ils sont,
si tu leur en donnes la chance !
Le plus grand service que tu puisses leur rendre,
c'est qu'ils ressemblent à ce qu'ils sont
et non nécessairement à ce que tu veux qu'ils soient.

En revenant chez moi cette nuit-là,
je pensais à mes épinettes,
toutes de la même famille,
mais si personnelles !
Vous vous rappelez ?
la princesse, la fermière,
la servante noire, le gendarme,
le monseigneur, et les autres !
Merveilleux maîtres !

Ronald

Vous connaissez ce lierre
qu'on nomme lierre de Boston ?
C'est une plante splendide.
Son feuillage est une pure beauté.
Et il pousse, il pousse...
c'est à peine croyable !
Il s'étend en vitesse et en force !
Son aspect a un je ne sais quoi de fascinant :
il vous décore un mur ou une clôture
comme pas un artiste ne saurait le faire !
Mais —
car il y a un mais —
quand il s'accroche quelque part,
il ne lâche plus !
Quand il décide de s'étendre,
rien ne l'arrête !
Si vous ne contrôlez pas son expansion,
attention !
il occupera tout l'espace,
il touchera à tout,
il envahira tout,
il possédera tout,
il étouffera tout,
il deviendra maître de tout !
Tout, absolument tout !
Et pourtant,
les autres plantes, elles aussi,

ont le droit de s'épanouir au soleil
et de vivre sur cette terre !
Il faut que ce lierre
apprenne à vivre avec les autres !

Pour les personnes qui le connaissent,
Ronald renvoie toute de suite
à des images du genre
« source claire »
et « coeur sur la main ».
Mais c'est le lierre de Boston
qui le décrit le mieux.
Ronald est un esprit remarquable :
pour reprendre une parole célèbre,
quand il attaque une question,
il va « au fond des choses... »
Et c'est toujours
limpide, lumineux,
transparent, rafraîchissant,
comme de l'eau de source.
Ronald est un trésor de générosité :
il ne compte jamais
ni son temps ni son argent.
Sa maison est toujours ouverte
et son coeur l'est encore plus.
Sa bonté nous réchauffe tous
et nous aide tous à grandir.
Mais —
car il y a un mais —
quand Ronald s'empare du pouvoir,

il faut qu'il mène
et qu'il ait toutes les ficelles
entre les doigts :
alors il envahit tout et tous,
il devient fatigant,
encombrant, énervant, étouffant !

Quand Ronald nous communique
la richesse de son savoir,
la beauté de ses pensées,
l'originalité de ses découvertes,
il nous rend de bien grands services
et il est le plus merveilleux des hommes !
Quand il nous donne la chaleur de son accueil,
la douceur de son hospitalité,
la générosité de son coeur,
oh ! comme il nous fait du bien !
Mais quand il veut
tout savoir,
tout avoir,
tout pouvoir...
alors il nous écrase...
et finalement il nuit à tous
et détruit la vie !

Ronald, grand Ronald,
ne nous force pas
à émigrer loin de toi pour t'éviter !
Mais fais-nous de la place à côté de toi !

Pierrette

Pierrette,
c'est la fille aînée de mon ami Robert.
Elle a douze ans.
Un beau brin de fille !
Des yeux rieurs,
deux petites fossettes au creux des joues
quand elle sourit !
De longs cheveux cendrés,
ce qui ne gâte rien à son apparence.
Une bonne figure :
droite, honnête, franche...
comme son père !
Les premières fois qu'elle venait chez moi,
invariablement, elle me demandait :
« Pourquoi as-tu tant de plantes dans ta maison
et tant de fleurs dans tes plates-bandes ?
Ça doit être parce que tu as besoin de compagnie ! »
À vrai dire, je ne lui ai jamais répondu directement...
Mais peut-être bien qu'elle n'avait pas
complètement tort !

Le printemps dernier,
pour ses douze ans,
j'ai offert à Pierrette un cadeau un peu spécial :
une grande enveloppe de graines de fleurs variées.
La réaction de Pierrette ne s'est pas fait attendre :
« Je pensais que tu m'aimais plus que cela !

Des graines de fleurs !
Franchement ! »
Même Robert,
qui est un ami de vieille date,
a qualifié mon cadeau d'« original »
et m'a trouvé « un peu drôle ».
Mais j'ai dit à Pierrette :
« Fais-moi plaisir, veux-tu ?
Aie la patience de les semer, tes graines !
Et quand elles auront poussé de belles fleurs,
donne-moi un coup de fil :
j'irai admirer tes chefs-d'oeuvre ! »
Par amitié pour moi, elle l'a fait...
et s'est fait prendre au jeu !
Moitié douteuse, moitié confiante,
elle a préparé le terrain,
semé, arrosé, sarclé, transplanté,
et attendu la promesse des graines !
Quand elle a vu les boutons se transformer en fleurs,
elle m'a téléphoné tout heureuse !
Elle a compris, je crois...
et ses parents aussi !

Les arbres, les plantes, les fleurs,
sont devenus pour elle
des maîtres silencieux et humbles
mais combien éloquents !
« Tu vois, Pierrette,
ils me fournissent bien plus que de la compagnie... !
À les regarder naître et grandir,

je me suis souvent dit
qu'ils valaient bien des livres
et bien des cours de nos savantes écoles !
Tu apprendras beaucoup
à les regarder,
à les écouter,
à les contempler ! »
Elle m'a bien fait plaisir,
mon amie Pierrette,
quand elle m'a dit :
« Je vois maintenant
que tu m'as fait un beau cadeau
et je t'en remercie.
Sais-tu, l'an prochain,
je vais demander à papa
un petit coin de son potager
pour y cultiver quelques légumes ».

Heureux parents
qui peuvent initier leurs enfants
à la culture d'un jardin
ou d'un bout de plate-bande !
Heureux enfants aussi !

III

PETITES FLEURS ...

L'essentiel dans la vie
est au niveau du coeur:
on ne grandit pas d'abord
en pensant
mais en aimant... beaucoup.

S'il y a l'intelligence de la tête,
il y a aussi l'intelligence du coeur.

Sème de l'amour
et tu en récolteras.

L'amour
est le soleil de la vie.

Ayons du coeur
tant que nous pouvons,
mais ne perdons jamais la tête
pour autant.

La force n'a jamais ramené personne
sur le droit chemin.

Si nous jouons à la « cruche pleine »
qui veut remplir des « cruches vides »,
nous sombrons dans la naïveté,
peut-être même dans la prétention.
Nous devrions tous être
des « vases communicants ».

Nous voulons aider quelqu'un à grandir ?
Contentons-nous de l'aimer :
écoutons-le, regardons-le, sourions-lui.
Faisons-lui confiance
en tout et pour tout.
Et nous le verrons pousser
à vue d'oeil.

Écoutons les enfants,
longuement et patiemment ;
regardons-les,
longtemps, amoureusement,
jusqu'à les contempler :
ils seront toujours
nos meilleurs maîtres...
avec les personnes âgées
et les pauvres.

Ne nous « enfargeons » pas
dans les fleurs du tapis
et ne nous laissons pas arrêter
par les chiures de mouches.

Si nous acceptons d'aimer,
nous nous devons d'accepter
tout à la fois
les roses et les épines
de l'amour.

Nous ne pouvons être sensibles
à la beauté
sans du même coup
être sensibles
à la souffrance.

Les choses ne sont jamais
que des moyens.
Seule la personne humaine
est une fin.

Ne prenons pas les pattes d'araignées
pour des pattes d'éléphants.

Il faut passer
de la parole aux actes,
paraît-il.
À vrai dire,
c'est bien plutôt
des actes aux paroles
qu'il faudrait passer !

Qu'est-ce qui nous fait vivre ?
... ou mourir ?
Où va notre coeur
quand nous le laissons aller ?
Où habite notre coeur
habituellement ?

Inutile de ramer ;
il vaut mieux faire de la voile.

Les humains ont bien plus besoin
d'amitié que de nourriture,
de compréhension que d'argent.

Intéressons-nous aux gens,
écoutons-les,
découvrons leurs besoins et leurs désirs :
ils ont beaucoup de choses à nous apprendre.

C'est dans l'adversité
qu'on découvre la véritable valeur
des personnes.

Accordons toujours une préférence
aux blessés de la vie,
aux faibles,
aux petits,
encore plus aux méprisés et aux rejetés.
Quoi qu'on en pense et qu'on en dise,
ce sont eux
nos vrais maîtres.

Les fleurs parfaites
ne poussent que dans les serres
et... dans la tête des idéalistes.
Les autres sont souillées
par la pluie et la boue,
meurtries par les animaux et les humains.
Mais ce sont elles que l'on rencontre
dans la vie de tous les jours.

Comment voulons-nous
qu'une personne aie confiance en elle-même
si nous, nous ne lui faisons pas confiance ?

Il y a des gens
qui se servent des humains
au lieu de les servir,
qui les manipulent
au lieu de les respecter,
qui les écrasent
au lieu de les aimer...
Et c'est bien dommage !

Rien ne sert de tirer
sur la carotte
pour la faire pousser plus vite.
Elle te restera dans la main
et n'atteindra jamais la maturité.

Si nous semons,
ne cherchons pas trop vite
à récolter.
L'amour se nomme souvent
patience, confiance et espérance.

Ce ne sont pas les grandes oeuvres
qui font les grandes gens.
Ce sont les grands coeurs
qui font les grandes oeuvres.

Les super-actifs,
les « queues-de-veau » perpétuelles,
ne pénètrent jamais
dans le sanctuaire de leur coeur.
En plus de se fuir,
elles se connaissent mal,
elles s'aiment mal
et grandissent mal.

C'est aimer quelqu'un
beaucoup
que de lui confier des responsabilités.

Chaque personne a besoin
d'être reconnue
dans ce qu'elle dit,
dans ce qu'elle fait,
dans ce qu'elle est.
Il vaut cent fois mieux
allumer des réverbères
dans le coeur des gens
que de jouer les éteignoirs.

Donnons de l'espoir aux gens,
montrons-leur
qu'ils ont du prix à nos yeux.
Nous verrons briller dans leur coeur
la petite flamme de l'espérance,
si nécessaire pour grandir.

Quand des gens,
surtout des jeunes,
découvrent
qu'ils peuvent être utiles à d'autres,
qu'ils peuvent faire quelque chose
de beau et de bon,
ils se mettent à trouver un sens à leur vie,
ils se mettent à grandir.

Chaque personne est unique.
Elle a le droit d'être acceptée
comme elle est,
avec ses richesses et ses pauvretés.
Et nous sommes appelés
à l'aimer telle quelle.

Quand on accepte
de faire un bout de chemin
avec quelqu'un,
on n'est jamais sûr
de la tournure du voyage.
Mais, si l'on marche
la main dans la main,
aux jours de pluie comme aux jours de soleil,
on arrivera certainement grandi
au bout de la route.

Être capable de pleurer
de joie
mais aussi de tristesse
est une expérience extraordinaire
dans la vie.
C'est à une guérison intérieure
que les pleurs nous invitent.

Si nous sommes angoissés,
nous deviendrons angoissants
et nous ne pourrons aider l'autre
à se libérer de son angoisse.
L'espérance doit habiter notre coeur
au point d'assumer notre angoisse
et retrouver la paix.
Alors seulement,
notre enfant trouvera lui aussi
la paix dans son coeur.

Nous trouverons la paix
seulement si nous aimons.
Et l'amour, souvenons-nous-en
n'est parfait
que s'il va jusqu'au pardon.

Une valeur qu'on enseigne,
c'est bien.
Une valeur qu'on pratique,
c'est mieux.
Une valeur qu'on fait pratiquer,
c'est encore mieux.

Une action même imparfaite
posée par des jeunes pour des jeunes
est souvent plus éducative
qu'une action parfaite
posée par des adultes pour des jeunes.

Nos plus grands ennemis
ne sont pas à l'extérieur de nous ;
ils sont dans notre coeur.
Nos plus grands amis aussi.

Tant que nous n'écouterons pas
longuement
nos enfants,
surtout les plus faibles,
nous les empêcherons de grandir ;
et nous nuirons aussi
à notre propre développement.

Qui s'enlise
dans les marais de l'avoir
étouffera et périra.
L'argent rend aveugle ;
il ratatine le coeur
et souvent le fait mourir.

Ne nous attachons même pas
aux services que nous rendons.
Oublions-les au plus vite.
Mais attachons-nous
aux personnes.

Ne disons pas aux gens
ce qu'ils doivent faire
et ce qu'ils doivent être.
Laissons-les plutôt s'épanouir
au soleil de notre amitié
et de notre accueil.

On n'aidera jamais quelqu'un
si on ne l'aime pas.
Il faut toujours commencer
par aimer.

Découvrons nos limites,
car nous en avons.
Nous accepterons plus facilement
celles des autres.

Chaque être humain
est lumière et ténèbres.
Le chimiquement pur
n'existe pas
dans le coeur des gens.
Il n'existe
que dans la tête des perfectionnistes.

Travailler ensemble,
rire ensemble,
souffrir ensemble,
vivre ensemble.
Que voilà de bonnes choses
pour grandir !

Il y a de bons moments
dans la vie.
La vie est souvent drôle.
C'est bien fatigant,
pour soi et pour les autres,
de se prendre trop au sérieux.

Il importe de trouver et de faire
du temps
pour se parler,
pour s'écouter.
Nous allons toujours trop vite.

Il y a toujours
une dimension ou l'autre
de notre être
qui demande à se développer.

La souffrance
est une grande éducatrice.
Elle nous apprend
la relativité des choses
et la profondeur des gens.

Si l'on est incapable
de partager,
pourquoi exigerait-on
de recevoir quelque chose
des autres ?

« Un ami
est quelqu'un qui sait tout de vous
et qui continue à vous aimer »
Augustin

Gardons-nous des moments
de présence silencieuse
avec une personne
que nous aimons tout particulièrement:
elle nous apportera
paix à l'âme
et joie au coeur.

Si nous avons des amis,
faisons tout pour les garder.
La fidélité dans l'amitié
est une valeur très importante.
Il ne faut pas briser
les liens
que le coeur a tissés.

Trouver quelqu'un
à qui l'on puisse parler
comme à son frère,
comme à soi-même,
de ce qui nous fait vivre
et de ce qui nous fait mourir,
est une grande chance
dans la vie.

Croyons aux gens,
même à ceux qui nous ont roulés.
Autrement,
nous leur enlèverons
le peu qui leur reste
pour grandir.

Il est bon de faire confiance
à la promesse des fleurs,
même si on n'en voit pas encore
les fruits.

Nous avons tous besoin
d'amour, de joie, de chaleur humaine ;
bien plus
que d'argent, de pouvoir
et d'honneur.

La paix
n'est pas simplement
la tranquillité dans l'ordre.
Elle est aussi le résultat
d'obstacles vaincus de haute lutte.

Pour grandir,
les jeunes, tout particulièrement,
ont besoin
de bons « poteaux »
sur qui s'appuyer.
Ces « poteaux » s'appellent
fidélité, bonté, fermeté
d'adultes
qui les aiment
inconditionnellement.

Dans le parterre de l'humanité,
il devrait y avoir de la place
pour toutes les fleurs...
Chacune a sa beauté.

On ne grandit pas
tout seul.
On a besoin
de la chaleur d'amis réels,
du réconfort d'une communauté accueillante,
de la confrontation de relations vraies.

Il n'y a que la confiance
qui engendre la confiance.
Si nous voulons que les gens
nous fassent confiance,
commençons par leur faire confiance
le plus possible
et même un peu plus.

Chaque personne possède
un potentiel incroyable.
Il suffit
de disposer les circonstances
de manière
à ce qu'il puisse se déployer.
Et alors, c'est merveilleux :
la personne se met à grandir
comme ce n'est pas possible.

Nous avons des talents,
des qualités uniques.
Ne les gardons pas pour nous tout seuls.
Mettons-les résolument
au service des autres.
En plus de leur apporter du bonheur,
nous en tirerons pour nous-mêmes
un contentement inégalable.

Chaque personne
est unique au monde :
c'est ce qui fait
non seulement son originalité
mais surtout sa beauté.

Quand on éduque
des êtres uniques et originaux,
il n'y a pas de modèles,
il n'y a que des repères.

La pédagogie de la peur
n'a jamais rien donné
sinon des êtres méfiants et insécures,
des coeurs endurcis et fermés.

Le but de l'éducation
n'est pas d'abord d'éliminer les défauts
mais bien plutôt d'apprendre à vivre avec eux,
comme le rosier vit avec ses épines.
On change bien peu dans la vie !

Quand on a appris
à accepter ses limites,
on a moins de difficulté
à accepter celles des autres ;
et alors, on a fait un grand pas
sur le chemin de sa croissance.

On ne plante
jamais
un arbre
pour soi tout seul.

Souffrir
sans aimer et sans être aimé,
c'est véritablement l'enfer.
Mais,
souffrir dans l'amour,
c'est avoir les épines
mais aussi les roses !

Ne dites pas:
« Je ne veux rien
devoir à personne ».
Au contraire,
nous aurons toujours
de nombreuses dettes
envers tant de gens
qui nous auront aidé
à grandir.

C'est dans l'exercice
que nous fortifions nos muscles.
C'est dans les débats
et les combats
que nous nous dépasserons.

Ne cherchons pas
à nous valoriser
ou à nous faire valoriser.
Faisons notre possible,
toujours.
Rendons service
du mieux que nous pouvons
Et soulignons aux autres
tout le mérite
auquel ils ont droit.

Y a-t-il un feu
qui brûle notre coeur ?
Ou tout est-il bien éteint ?
Que le feu reprenne sans cesse :
c'est nécessaire
pour vivre.

Croire
en la capacité de grandir
de quelqu'un,
c'est déjà
le mettre sur la route
de sa croissance.

L'affection
que l'on donne
et que l'on reçoit
est l'une des choses les plus merveilleuses
au monde.

Apprenons
à raisonner
non seulement avec notre tête
mais aussi avec notre coeur.

> *Il est vrai*
> *que certaines personnes*
> *ont plus de chance ou de malchance*
> *que d'autres*
> *dans la vie.*
> *Mais il est tout aussi vrai*
> *que, selon la manière dont on réagit*
> *aux appels et aux coups de la vie,*
> *on fait en bonne partie*
> *sa chance*
> *ou sa malchance.*

Soyons des « recommenceurs » perpétuels,
des premières fois renouvelées.
Le jour
où nous sommes bien assis,
où notre vie est bien rangée,
où nous n'avons plus de défis à relever,
nous ne grandissons plus.
Bien plus,
nous vieillissons prématurément.

N'envions pas
les qualités ou les performances
de nos voisins.
Nous avons nos propres talents :
appliquons-nous
à les découvrir
et à les développer.
C'est cela
qui nous rendra heureux.

La personne n'existe pas.
Ce qui existe,
c'est telle personne, bien concrète,
avec ses émotions, ses sentiments,
ses besoins, ses problèmes,
ses valeurs.
Personne ne devrait être pour nous
un numéro matricule, un cas ou un objet.

L'amour est l'oxygène du coeur.
Si quelqu'un ne se sent pas aimé,
il étouffe et finit par mourir.
Il sombre dans l'amertume
ou l'agressivité ;
il s'enfonce dans l'insécurité
ou le désespoir.
C'est véritablement
un mort en sursis.

L'enfant n'apprendra
jamais rien
du maître qu'il n'aime pas.
Et le maître qui n'aime pas
n'aidera jamais l'enfant
à grandir.

Le seul avancement
vraiment important
dans la vie,
ce n'est pas le nôtre
mais bien celui des autres.

Que notre fermeté soit douce,
que notre autorité soit compatissante,
que notre force soit tendre.
Que notre bonté soit libérante,
que notre service soit compétent,
que notre joie soit respectueuse.
Autrement,
nous serons ou trop durs ou trop mous,
nous serons dominateurs ou surprotecteurs,
nous serons administrateurs ou sentimentaux,
toutes attitudes
qui empêchent de grandir.

Gardons-nous
des temps de solitude
et des espaces de silence
pour nous refaire et nous redécouvrir.
C'est là
que notre tête et notre coeur émergeront
des vagues de la vie quotidienne
et surtout
que nous pénétrerons au coeur de ton coeur
et que nous nous abreuverons
à la source même de notre être,
et que nous ferons le voyage
le plus important de notre vie,
le voyage intérieur...

Décider en groupe
vaut souvent mieux
que décider tout seul.

Aimer,
ce n'est pas seulement
donner,
ce n'est pas seulement
rendre service,
c'est surtout
être avec quelqu'un,
c'est lui faire sentir
qu'il compte à nos yeux,
c'est lui faire découvrir petit à petit
ses richesses personnelles.
Rien n'est meilleur
dans la vie
et pour la personne aimée
et pour la personne aimante.

La vraie grandeur
est au niveau du coeur,
non pas au niveau
de la tête ou des mains,
à moins qu'elles ne soient connectées
solidement au coeur.
C'est pourquoi
tant de parents et de bénévoles
sont si grands !

Que notre coeur
soit une maison
où tout le monde peut entrer
et s'y trouver à l'aise.

La nature nous apprendra beaucoup
si nous savons la regarder, l'écouter, la toucher,
si nous savons l'aimer.
Ce n'est pas gaspiller notre temps
que de prendre du temps
pour regarder tomber la neige ou la pluie,
pour écouter siffler le vent,
pour toucher les feuilles mortes de l'automne.
Marcher dans le bois tout doucement,
dormir dans la forêt à la belle étoile,
se faire un bouquet de fleurs des champs.
C'est beau, c'est sain, c'est pur.
Ça aide à vivre.

S'il n'y a pas dans notre vie
un petit espace
pour les blessés de la vie,
faisons-en un au plus tôt.
Ce sont eux en effet
qui nous apprendront le mieux
la paix, la tendresse, la douceur,
la joie, l'affection et l'unité.
Voilà un pain
dont nous ne saurions nous passer
si nous voulons devenir
de véritables personnes humaines.

L'amour
est le plus grand de tous les remèdes
aux maux de la vie.
Une personne aimée,
même si elle n'a pas d'argent,
de santé ou de pouvoir,
est heureuse et comblée.

Tant de gens gavés de biens
ou complètement démunis
sollicitent l'aumône de notre amour.
Dépêchons-nous de le leur donner,
nous ne perdrons rien au change.
Au contraire,
nous y gagnerons nous-mêmes tellement.

Les vrais éducateurs
nous apprennent beaucoup de choses,
et c'est tant mieux !
Mais, s'ils nous laissent
avec des questions,
c'est encore mieux !
Et, s'ils nous apprennent
à nous poser sans cesse nous-mêmes
de nouvelles questions,
alors, c'est parfait !

Tant que nous n'aurons pas fait
une place privilégiée
aux plus pauvres et aux plus petits
des enfants des humains,
nous n'aurons pas été
jusqu'au bout du chemin de l'amour.

Nous ne perdrons pas d'autorité
si nous admettons nos faiblesses,
si nous savons reconnaître nos erreurs.
Bien au contraire,
nous en gagnerons.

Les gens qui poussent des cris de haine
sont souvent des gens profondément blessés.
La haine est souvent le dernier mot de l'amour,
ne l'oublions pas.
Elle est souvent la dernière palpitation
de l'espoir,
ne la laissons pas s'éteindre.
Nous raterions alors
une occasion importante
d'aider quelqu'un à grandir.

Il fait bon
d'avoir un ou deux vrais amis.
Ils nous accueilleront
aux jours de grands découragements,
ils nous écouteront
aux moments des déballements
comme des emballements,
ils nous réconforteront et nous soutiendront
dans ce que nous avons entrepris
et ils nous aideront
à tenir bon.

        La véritable autorité
        ne consiste pas
        à donner des ordres
        ou à prendre des décisions.
        Elle consiste surtout
        dans la capacité de faire confiance,
        de confier des responsabilités,
        bref de faire des auteurs.

La véritable autorité
a de la vision.
Elle ne souffre pas
de myopie.
Elle ne se noie pas
dans les vagues du quotidien,
mais prend de l'altitude
pour mieux saisir les besoins réels.

Souvenons-nous-en :
la personne passe avant toute chose.
Les structures sont importantes
mais elles ne valent pas une seule personne.
Ne nous laissons pas envahir
par la paperasserie,
par la bureaucratie,
par les exigences administratives.
Laissons-nous plutôt déborder
par les personnes.

Les structures,
même les meilleures,
sont au service des gens,
et non l'inverse.
C'est pourquoi
elles sont appelées
à changer souvent.

La tuyauterie
est moins importante
que ce qui coule
dans les tuyaux.

Les personnes qui s'enracinent
dans leurs fonctions
deviennent immuables
et souvent dangereuses.
Elles risquent de sombrer
dans la répétition,
la routine et l'immobilisme.
Elles empêchent
les jeunes pousses
de parvenir à maturité.
Elles tuent la créativité
et découragent les meilleurs.
Il vaut mieux partir
quand tous souhaitent qu'on reste
que de rester
quand tous voudraient qu'on parte.
Savoir partir à temps
relève de la sagesse et de l'art !

Il est important
que nous apprenions
non seulement à donner
mais aussi à recevoir.
Nous ne pouvons pas
toujours être les riches
qui se passent des autres ;
nous devons aussi être les pauvres
qui ont besoin des autres.

Nous ne pouvons sans doute pas
changer le monde,
mais nous pouvons peut-être
changer un monde,
à commencer par le nôtre.
Pour cela,
il n'y a pas de recette,
mais il y a un moyen infaillible :
c'est d'aimer,
d'aimer toujours.

Les grandes blessures
d'angoisse, de rejet, de discrédit,
ne se cicatrisent
qu'avec le temps
et beaucoup d'amour.
Seuls, ces deux ingrédients
sont capables
de faire renaître la confiance.

Qui peut affirmer
qu'il n'a pas besoin des autres ?
Si nous pouvons dire cela,
nous nous illusionnons grossièrement
et nous sommes les plus malheureux
des êtres humains.

Il ne suffit pas
de penser ou de savoir
que chaque personne est importante.
Il faut lui en donner,
de l'importance.

La patience !
Rien ni personne ne grandit
sans elle.
Celle que l'on donne
et celle que l'on reçoit.
Il faut compter avec le temps
tranquillement, doucement.

Savoir décroître
est au moins aussi important
que savoir croître.

Chaque être humain porte son secret.
On n'a pas le droit
de violer l'intimité des gens.
Seul l'amour
permet aux gens
de se révéler
en temps opportun.

Gardons-nous des temps de solitude
pour faire descendre
la vague sur le lac de notre âme
et surtout pour écouter les musiques
qui chantent au fond de notre coeur.
Nous apprendrons à nous connaître
et nous pénétrerons au pays
de la paix et de l'équilibre.
Et, ce qui est encore plus merveilleux,
nous découvrirons petit à petit
le chemin qui mène
au coeur des autres.

Écoutons avec beaucoup d'amour
les personnes qui portent de grandes
souffrances.
Elles nous conduiront tout droit
à l'essentiel.
Nous découvrirons
très vite
ce qui est insignifiance dans notre vie
et nous l'éliminerons
Nous savourerons la beauté de chaque instant
et nous verrons
comme chaque seconde est précieuse.

Pratiquons
l'amabilité et la gentillesse
envers tous,
même avec ceux qui ne le sont pas
avec nous.
Nous grandirons
mais surtout nous aiderons beaucoup
les autres à grandir.

Prenons nos responsabilités
jusqu'au bout.
Ne cherchons pas constamment
à sauver la chèvre et le chou.
Affichons nos couleurs
chaque fois qu'il le faut.
Les gens ont le droit de savoir
à quelle enseigne nous logeons.
Ayons le courage
de nos convictions
même si cela doit
nous coûter très cher.
C'est beau,
une personne debout !

Le plus important
n'est peut-être pas
d'aimer en quantité
mais bien en qualité,
c'est-à-dire en profondeur
un petit nombre de personnes.

Pour être heureux dans la vie,
il faut bien peu de choses.
Nous nous encombrons
de tant de choses
qui deviennent autant d'obstacles
au bonheur.
Au fond,
le pain matériel
et le pain de l'affection
donnée et reçue
y suffisent presque.

Si nous fermons
nos yeux, nos mains,
et surtout notre coeur,
aux plus pauvres et aux plus petits,
un grand pan de notre vie
sera négligé.
Nous grandirons
de façon déséquilibrée
et nous nous priverons
de très grandes lumières.

Rien n'est plus valorisant
pour quelqu'un
que de réaliser
qu'il fait quelque chose d'utile.

Les gens ont besoin d'amis sûrs et durables
pour grandir.
C'est quand ils sont réconfortés
et qu'ils sont provoqués à un dépassement
qu'ils s'épanouissent
comme fleurs au soleil.

Ne dialoguons pas seulement
avec les livres et le papier ;
ne jonglons pas uniquement
avec des idées et des concepts.
Allons rencontrer
le vrai monde,
descendons dans la rue,
observons les gens.
Les vrais problèmes
et leurs solutions
ne sont pas derrière notre bureau
mais au milieu
de nos frères et soeurs de la terre.

Il ne nous sert à rien de jouer à l'autruche :
nous n'éliminerons pas les difficultés
en nous enfouissant la tête dans le sable.
Nous ne grandirons pas
si nous cherchons constamment
à fuir la vérité.

Personne ne grandit tout seul.
Nul n'est une île.
Nous avons tous besoin de nous confronter
aux idées et aux expériences des autres.
Les ressources de leur esprit et de leur coeur
s'ajoutent aux nôtres ;
elles les nuancent
et les enrichissent.

Pratiquons le sourire,
le vrai,
celui qui vient du coeur,
pas celui qui n'est que
l'élargissement des lèvres.
Il illumine
la nuit des gens,
il réchauffe leur hiver,
il transforme leurs attitudes.
Bien peu de gens,
souvenons-nous-en
résistent
à un vrai sourire.

Nous apprendrons sans doute
beaucoup
dans les livres
et sur les bancs des écoles.
Mais, nous apprendrons encore plus
si nous savons
écouter, regarder et toucher les gens,
surtout les petits.
Ce n'est pas là
du temps perdu,
c'est du temps gagné.

Il y a des peines si profondes
dans la vie
que tout ce qui peut être fait devant elles
s'appelle
présence silencieuse et affectueuse.

Il y a des gens
qui n'ont même pas besoin de parler
pour que les autres se trouvent bien
auprès d'eux.
Il se dégage de leur personne
un tel magnétisme
que leur seule présence
est transformante.
Leur sourire est communicatif,
leurs yeux parlent beaucoup.
Leur musique intérieure
donne la note à tout le monde.
Ah! qu'on est bien
avec de telles gens !
Heureux sommes-nous
si nous appartenons à cette race...
et heureux serons-nous
si nous en trouvons
sur notre chemin !

Ne cherchons pas à nous élever.
Plus nous serons hauts,
plus nous vivrons sur une corde raide.
Et si nous marchons sur un fil de fer,
le moindre faux pas
nous jettera par terre
et notre chute sera grande.

Parfois
la seule manière de reprendre vie,
c'est de pardonner...
et d'être pardonné.

Résistons à la tentation
de vouloir tout contrôler
et tout dominer.
Donnons de l'espace
pour les essais, les recherches
et même les erreurs.
Si les gens n'ont pas la possibilité
de tomber,
comment voulons-nous
qu'ils apprennent
à marcher ?

Nous gagnerons toujours à être vrais.
Il ne s'agit pas seulement de dire la vérité
ou de la faire,
mais de vivre dans la vérité de tout notre être.
Le pire malheur qui pourrait nous arriver
serait d'être hypocrite envers nous-mêmes.

Souvent,
nous aiderons plus
quelqu'un à grandir
en lui donnant
une poignée de main chaleureuse
ou en l'embrassant
qu'en lui débitant mille discours.

Si nous avons appris
à lire les besoins des gens
sans même qu'ils les expriment,
si nous avons appris
à y répondre
doucement et généreusement,
nous ferons des heureux
et, en plus,
nous serons heureux nous-mêmes.

Prendre du recul,
dépasser les tâches quotidiennes,
garder son regard
au-dessus des vagues de la vie,
savoir où l'on s'en va,
faire le point de temps à autre,
est capital.
Autrement,
on est comme un navire sans gouvernail,
qui suit les vagues
sans savoir où elles mènent.
On tombe vite
dans l'opportunisme ou le pragmatisme
qui n'ont rien à voir
avec une conduite intelligente
de la vie.

Nous ne grandirons jamais
en faisant des autres
notre piédestal
où nous les écrasons.
C'est en servant les autres
et en leur faisant oublier
que nous les servons,
que nous grandirons
le plus harmonieusement.

Tout être humain,
même le pire, même le plus blessé,
est un être unique au monde,
un être humain mystérieux et merveilleux,
capable de grandir sans limites aucune
pourvu qu'il se sente apprécié et aimé.

Je ne peux pas vous souhaiter
de souffrir dans la vie.
Vous me traiteriez de sadique,
et vous auriez bien raison.
Mais, tôt ou tard,
la souffrance vous rejoindra,
que vous le vouliez ou non.
Accueillez-la
comme un des grands maîtres de la vie :
elle vous enseignera tant de choses.
C'est d'elle principalement
que vous apprendrez
la bonté et la compassion,
l'ouverture aux autres et la tolérance,
l'oubli de soi et le pardon.
Et, croyez-moi,
ce sont là des valeurs bien importantes
dans la vie.

L'espérance
est un emprunt que nous faisons
sur le bonheur.

Ce n'est jamais
perdre son temps
que d'en prendre
pour se parler,
pour s'écouter,
pour s'aimer.
Nous vivons
toujours trop pressés.

Faisons confiance.
Toujours.
Aux gens d'abord :
ils sont ordinairement meilleurs
que nous ne le pensons.
Au temps aussi :
il joue en notre faveur
si nous sommes patients avec lui.
Aux petits détails de la vie enfin :
c'est à travers eux souvent
que la vie reçoit toute sa lumière.

C'est la gloire des maîtres
d'être un jour dépassés
par leurs élèves.

Nous rendons bien plus service aux gens
en nous asseyant avec eux
pour les écouter et leur parler
qu'en étant derrière notre bureau
à dialoguer avec du papier
ou à siéger sur des comités
interminables et stériles.

C'est dans la tête
que les choses s'élaborent,
mais c'est dans le coeur
qu'elles poussent.

Le chemin qui va
de la tête au coeur
est parfois très long.
Et celui qui va du coeur aux mains
est souvent tout aussi long.

En chaque personne,
il y a un secret bien gardé
que souvent Dieu seul connaît.
C'est commettre un crime
que d'essayer de le violer.

Le coeur humain
est comme un vase de porcelaine précieuse.
C'est avec d'infinies précautions
qu'il faut l'apprivoiser.

Il y a la mémoire de l'esprit.
Mais il y a aussi
la mémoire du coeur,
Beaucoup plus délicate
et plus importante.

Il faut laisser au temps
le temps
de faire son temps.

Les coups que nous donnons
nous feront toujours plus mal
que les coups que nous recevons.

Oublions vite
les cadeaux que nous donnons ;
mais n'oublions jamais
ceux que nous recevons.

La limite des autres
nous révélera
notre propre limite.
Les personnes handicapées
nous révéleront
nos propres handicaps.

Le jour
où nous aurons compris
que l'essentiel de la vie
est de servir
et non de se faire servir,
ce sera un grand jour
dans l'histoire de notre vie
et dans l'histoire de l'humanité.

Ne cherchons pas les affrontements :
ils détruisent tout
sur leur passage.
Mais n'ayons pas peur des confrontations :
elles nous aideront à construire
notre vie et celle des autres.

Ne vivons pas seulement de souvenirs ;
vivons aussi de projets.

Qui peut dire
qu'il se connaît
vraiment à fond ?
Nous aurons toujours
quelque chose à apprendre
sur nous-mêmes.

Seuls
ceux qui font de leur travail
non pas une fonction
mais une vocation
récoltent et donnent
du bonheur.

Dans une plate-bande,
il n'y a pas que des pétunias...
Ce qui fait la beauté de l'ensemble,
c'est justement
la variété des fleurs.

Il y aura toujours quelques pissenlits
dans le parterre de l'humanité !

Quand on ne sait plus
aimer
ou s'intéresser aux autres,
on commence à vieillir.
Tant qu'on est capable d'aimer,
on ne vieillit pas.
À ce compte,
il y a des jeunes bien vieux
et des vieux bien jeunes.

Les gens
ont bien plus besoin
de témoins à suivre
que de modèles à imiter.

IV

EN D'AUTRES
MOTS ...

« **Tu sais:
je veux dire...** »

Expression
de jeunes de chez nous

Aider à grandir

La leçon du jardinier

Le jardinier ne fait rien d'autre que d'aider les plantes à grandir. À bien y penser, il ne peut rien faire de plus.

Il ne peut fabriquer l'air et la lumière si nécessaires à leur croissance. Il ne peut non plus fabriquer le terreau où elles poussent.

Le plus qu'il peut faire, c'est d'améliorer le sol en l'engraissant, en le nettoyant, en le ventilant. C'est de réchauffer, de refroidir, d'humidifier l'air. C'est de fournir plus ou moins de lumière, de l'orienter, de la tamiser. Un point, c'est tout.

Il ne peut pas non plus changer la nature profonde des plantes. Un pommier ne sera jamais un cerisier. Mais il peut tout mettre en oeuvre pour que son pommier devienne un magnifique pommier qui un jour lui donnera de belles pommes savoureuses.

Il peut l'aider à grandir en beauté et en fécondité. C'est tout ce qui lui est demandé. Rien de plus, mais rien de moins.

Les jardiniers des humains

Les éducateurs sont les jardiniers des humains. Tout ce qui leur est demandé, c'est de les aider à grandir. Rien de plus, rien de moins.

C'est de tout mettre en oeuvre pour que le petit Pierre puisse devenir un homme, un vrai, tout en étant toujours Pierre. C'est de faire en sorte que la petite Sandra devienne une femme, une vraie, tout en étant toujours Sandra.

Tous les humains sont des êtres-en-devenir. Éduquer, c'est précisément aider quelqu'un à devenir ce qu'il est. C'est favoriser le développement complet de sa personne. C'est lui permettre de s'épanouir dans toutes ses dimensions. C'est lui fournir la possibilité de parvenir à sa véritable identité.

L'éducateur n'est pas qu'un simple enseignant, un simple transmetteur de connaissances. L'éducateur n'est pas qu'un simple instructeur, un simple « appreneur » de métier, de sport ou même d'art.

Mais, ce qui est extraordinaire, c'est que beaucoup d'enseignants et d'instructeurs sont de merveilleux éducateurs. En plus de communiquer des connaissances ou d'initier à des habiletés, ils sont de véritables agents de croissance.

Ils aiment la vie et surtout la personne qui est devant eux.

La personne avant tout

Chaque personne est unique

Il n'y a pas deux personnes exactement pareilles. Même les jumeaux « identiques » ont des différences.

Chaque personne est unique. Chacune a des qualités et des défauts, des talents et des limites, que l'autre n'a pas. Elle a des goûts originaux, des intérêts particuliers. Elle a des ambitions bien à elle. Elle a surtout un chemin de vie qui est et qui sera de plus en plus le sien.

Les humains ne se fabriquent pas en série, ils se fabriquent à la pièce. Ils ne sont pas des robots, ils sont des personnes.

L'éducateur qui ignorerait ce caractère unique de chaque personne ne serait pas un véritable éducateur.

Se centrer sur la personne

Éduquer, c'est se centrer sur la personne à éduquer. Et non pas sur soi.

Il ne s'agit pas de vouloir que les gens deviennent comme nous. Mais bien qu'ils deviennent ce qu'ils sont véritablement.

Partir d'un modèle préconçu et vouloir l'« appliquer » à l'éduqué, c'est risquer de l'aliéner profondément. C'est aussi trahir le but de l'éducation.

Trop de parents veulent que leurs enfants soient comme eux. Trop de professeurs se prennent comme points de références exclusifs pour leurs élèves. Et trop de pasteurs imposent leurs « normes » à leurs « brebis ». Tous se conduisent mal et les conduisent mal.

Finalement, ils les empêchent de grandir.

Les « éduqués dociles » peuvent pour un temps s'enfermer dans la coquille que leur fabriquent leurs pseudo-éducateurs. Mais, s'il leur reste le moindrement de vitalité, ils chercheront à faire éclater en mille miettes cette prison, grise ou dorée. Ils le feront par tous les moyens, doucement ou violemment. Pour devenir eux-mêmes et réaliser ce à quoi ils se sentent appelés.

Les autres « éduqués » n'accepteront pas de se laisser modeler, d'une manière douce ou d'une manière forte, par des éducateurs qui ne sont au fond que des manipulateurs, conscients ou inconscients, bien ou mal intentionnés. Ils les fuiront d'instinct comme on fuit la peste. Ils déserteront le plus vite possible les lieux qu'ils occupaient pour enfin grandir en liberté et en vérité.

Il y a une « transgression » de bon aloi qui obéit aux lois de la croissance plutôt qu'aux « règles » d'éducateurs inauthentiques.

Les « éducateurs » de type autoritaire, « couveur » ou paternaliste, sont trop centrés sur eux-mêmes. Ils échouent dans leur visée éducatrice. Et le « produit » de leur éducation est souvent un produit triste, fade, incolore et sans saveur.

Il ne sert à rien de faire de l'éducation à partir de soi. C'est pour les autres qu'on en fait. L'éducation « dans le rétroviseur » n'avance pas, elle recule.

Le désir d'être soi-même est un besoin vital. C'est une des grandes forces de la vie. Ne pas tout mettre en oeuvre pour qu'il soit satisfait équivaut à tuer lentement la personne.

La confiance

La confiance est un ingrédient important en éducation.

Les gens en qui l'on croit grandissent à vue d'oeil. Mais il ne suffit pas de la dire, cette confiance. Il importe surtout de la pratiquer.

Par exemple, confier des responsabilités à la mesure des capacités des personnes. Pas trop grandes, elles ne sont pas des géants. Pas trop petites, elles ne sont pas des insignifiants. Juste la bonne dose.

Prendre des risques parfois... calculés, autant que possible. Avoir de l'audace. Communiquer de l'enthousiasme.

C'est dans un climat de confiance que les gens perçoivent leur véritable identité. C'est à travers des responsabilités assumées qu'on se découvre des talents, des aptitudes, des ressources qu'on ne soupçonnait même pas parfois.

Se découvrir, au terme d'une activité ou au terme d'un cheminement, des capacités et des qualités inconnues, constitue un puissant ressourcement pour la personne. C'est l'un des meilleurs stimulants dans la vie et une source d'inspiration de première grandeur.

C'est ainsi que l'être humain se développe. Il se déplie et se déploie en beauté et en force comme une fleur au soleil.

Mais les êtres à qui personne ne fait confiance se « renveloppent », se replient, se recroquevillent sur eux-mêmes. Ils finissent par perdre confiance en eux-mêmes. Ils deviennent de sérieux candidats à la dépression ou à l'agressivité, sa soeur jumelle. Ils deviennent insécures, incapables de décision ou de créativité. Ils deviennent petit à petit « assassinés » dans leurs forces vives.

Comme c'est dommage !

Le respect

Tout être humain mérite le respect. Même le plus démuni. Même le moins talentueux. Même le plus vil.

Le premier pas de la croissance d'un individu, c'est le respect.

Chaque personne a ses saisons. Dans une vie, mais aussi dans une année et même souvent dans une journée. Le respect commande de s'« acclimater » à la saison du moment. Il n'est pas bon d'imposer une culotte courte en hiver ou un manteau au gros soleil.

Chaque personne a ses vitesses et ses lenteurs. Tout dépend des circonstances, des choses à accomplir, de l'heure de la journée, etc. Le respect commande d'ajuster son pas à celui de l'autre. Inutile de vouloir tirer sur la fleur pour la faire pousser plus vite ou de la refouler pour l'empêcher de grandir.

Chaque personne a ses qualités et ses défauts. Et on change bien peu dans la vie, quoi qu'on en pense. Apprendre à vivre avec eux en bons voisins est bien plus important que de s'évertuer à faire grandir les premières et à faire disparaître les derniers. Nous sommes tous faits d'ombre et de lumière, à divers degrés. Le respect commande de souscrire à cette grande réalité de nos vies humaines.

Bref, accepter l'autre dans ses grandeurs et ses misères et cheminer avec lui, c'est le respecter tout à fait.

L'autonomie

Le jour où un éduqué peut se passer de ses éducateurs, ce jour est un grand jour dans l'histoire de cette personne et dans l'histoire de l'humanité.

Et alors on peut penser que l'oeuvre de l'éducation a été une réussite. Car, le but de l'éducation est précisément d'en arriver à faire des êtres autonomes.

Autonomie ne signifie pas indépendance. L'être humain, même adulte, a besoin des autres. Personne n'est une île.

Mais l'être autonome est capable de prendre des décisions, de gérer sa vie, de donner un sens à ses activités.

Il est inutile de pleurer quand les jeunes nous quittent pour prendre leur vie en mains. Il vaut mieux se réjouir. Car cela veut dire que notre accompagnement éducatif les a conduits sur le chemin de la maturité. Ils reviendront plus tard nous dire merci de la bonne éducation qu'ils auront reçue.

Il ne faut pas non plus se taper dans les mains quand un jeune quitte la maison en claquant la porte. Si on a le sentiment qu'il « débarrasse », on a peut-être également au fond de soi le sentiment d'avoir raté l'éducation de ce jeune.

La paix

La paix est un grand bien que tous recherchent... au point qu'on fait des guerres pour la trouver ou la retrouver !

La paix n'est pas qu'extérieure cependant. Elle n'est même pas d'abord extérieure. Elle est aussi et surtout intérieure.

Devenir des êtres pacifiés, et du même coup pacifiants, est drôlement important dans la vie, pour soi et pour les autres.

Tous ne possèdent pas le même « potentiel » en ce domaine. Mais tous peuvent apprendre un peu plus et un peu mieux à devenir des fabricants de paix. Et les éducateurs qui initient à cet apprentissage sont de grands éducateurs.

Apprendre à découvrir ses lieux et occasions de tensions, même sans pouvoir toujours les éliminer; mais plutôt apprendre à les accepter comme autant de chances de grandir. Apprendre à vivre de façon positive des conflits personnels ou sociaux. Apprendre à assumer les frustrations inévitables de l'existence sans se détruire ni détruire les autres. Apprendre à éviter les affrontements stériles mais à favoriser les confrontations fécondes.

Que voilà de belles tâches en éducation ! Et que voilà de magnifiques défis !

L'harmonie

Nous aimons tous l'harmonie. L'harmonie d'un sous-bois ou d'une source d'eau pure au creux de la montagne. L'harmonie d'une belle musique. L'harmonie d'une belle oeuvre d'art.

Mais il n'est pas facile de définir l'harmonie. C'est le résultat de tant de choses. C'est une sorte d'équilibre. Il suffit en effet de si peu pour détruire une harmonie: une fausse note dans l'orchestre, une cascade de mots dans le silence de la nuit, une détonation dans la forêt, une tache sur un vêtement...

L'être humain est fait de corps, de coeur et d'esprit. Il est action, affection, réflexion. Il est individu unique mais il est aussi être-de-relations. C'est tout cela qui fait l'harmonie de la personne.

La personne qui a tellement de coeur qu'elle en perd la tête est en déséquilibre. Celle qui ne fait que penser risque de s'endurcir le coeur. Celle qui agit sans penser et sans aimer devient une girouette ou une « queue-de-veau ».

La personne qui est incapable de solitude devient encombrante pour tous, y compris pour elle-même ; et celle qui est incapable de vraies relations humaines devient vite un ours.

Il ne suffit pas d'apprendre à penser, à agir ou à aimer, même si cela est très important. Il ne suffit pas non plus d'apprendre à vivre avec soi-même ou à vivre avec les autres, même si cela est capital.

Il faut encore apprendre à équilibrer tout cela de façon harmonieuse. Pas de grosse tête avec un petit coeur. Pas de grand coeur avec de petites mains. Pas d'îles qui ne soient reliées par des ponts.

Il importe donc d'apprendre à équilibrer les diverses composantes de son être, les diverses dimensions de sa vie : physique, psychique, affective, intellectuelle, sociale, spirituelle. Et cet équilibre n'est jamais acquis une fois pour toutes. Il est à refaire constamment. Apprendre à réajuster ce qui doit l'être dans sa vie, à corriger la trajectoire de sa route, est fort utile.

L'harmonie personnelle, et sociale, est à ce prix.

L'unité

Le meilleur fruit de l'éducation est de conduire à unifier la vie.

L'unité d'une vie ne consiste pas uniquement dans une vie équilibrée de façon harmonieuse même si cela puisse y contribuer grandement. La véritable unité est avant tout intérieure. Elle réside le plus souvent dans une grande passion capable de donner un sens puissant à tout l'être et à toute une vie. C'est elle qui polarise toutes les puissances de la personne. C'est elle qui dynamise tout l'être. C'est elle qui donne de la densité à toute la vie.

Il est important que chaque personne trouve ce qui fait ou fera l'unité de sa vie. Seules celles qui l'ont trouvée sont de grands vivants en ce monde. Pas nécessairement les plus célèbres, mais les plus vivants. On peut penser à des gens connus : Mère Teresa unifie sa vie autour de l'amour des pauvres ; Einstein était un passionné de recherches scientifiques ; Gilles Villeneuve trouvait l'unité de son être dans la course automobile. D'autres, moins connus, trouvent l'unité de leur vie dans l'amour de leur petite famille, dans le bénévolat, dans les arts, etc.

Apprendre à des jeunes à découvrir et à poursuivre petit à petit ce qui fera l'unité de leur vie, c'est leur rendre un service inestimable.

Y a-t-il une grande passion dans notre vie ? Quel est notre moteur intérieur ? Qu'est-ce qui nous fait vivre... ou mourir ? Qu'est-ce qui brûle notre coeur ?

Pratiquer

La tête, le coeur et les mains

Pour apprendre à nager, dix heures dans la piscine valent bien mieux que cent heures dans la bibliothèque. On n'apprend pas à marcher, à parler, à écrire, à vivre, à être un être-de-relations, en lisant des livres ou en suivant des cours ou des conférences. On apprend en pratiquant. Ensuite, mais ensuite seulement, on se perfectionne en se documentant et en se renseignant de diverses manières.

Trop longtemps et trop souvent, on s'est imaginé qu'une tête bien meublée faisait une personne bien éduquée. On a oublié, à toutes fins pratiques, que la personne a aussi un coeur, des bras et des pieds. Elle n'est pas qu'idées, concepts, abstractions. Elle est aussi sentiments, émotions, vibrations, passions. Elle est également actions, oeuvres, travaux.

Pour aller jusqu'à la tête, il faut passer par le coeur et les bras. Rien ne se fait sans pratique dans le monde de l'éducation. Et au coeur de cette pratique, celui qui s'éduque doit se sentir aimé. Car la pratique ne saurait non plus se réduire à l'acquisition d'habiletés manuelles, intellectuelles ou autres, même si ces habiletés sont importantes. Elle n'est pas un simple « dressage ».

La personne qui apprend comme celle qui initie à des apprentissages gagnent beaucoup à se situer dans un contexte où l'amitié circule librement.

On a souvent dit que le chemin qui va de la tête au coeur est bien long et que celui qui va du coeur aux mains est tout aussi long. Tout cela est bien beau et sans doute bien vrai. Mais, en éducation, c'est à rebours qu'il faut parcourir ces chemins : aller des bras au coeur et du coeur à la tête. Alors s'établit un va-et-vient très fécond entre les trois composantes de la personne. Autrement tout risque d'être tellement plus difficile.

Les ateliers d'apprentissage

Ceux qui apprennent à grandir doivent pouvoir bénéficier d'espaces où ils pourront pratiquer. Ce sont les ateliers d'apprentissage.

Si une piscine est nécessaire pour apprendre à nager, il est aussi nécessaire de créer des lieux, des temps, des occasions, pour apprendre à devenir un vrai homme ou une vraie femme.

La classe de l'école, l'école elle-même, la maison familiale, les jeux en équipe, les comités d'étudiants, les cercles d'amis, les mouvements de jeunes, etc. sont autant d'ateliers où l'on peut apprendre beaucoup.

C'est là, par exemple, qu'on peut pratiquer des valeurs aussi importantes que l'accueil et l'écoute, la tolérance et la patience, l'audace et la créativité, le partage, le sens des autres, le goût du travail et du travail bien fait, la fidélité à la parole donnée, etc. C'est là qu'on prend conscience de ses talents et de ses limites. C'est là qu'on développe sa compétence, sa disponibilité, sa prudence. C'est là que l'on commence à acquérir un peu de sagesse.

Chaque fois que des éducateurs favorisent la création de tels ateliers, ils apprennent aux jeunes à se connaître, à se mesurer à la vie, à se confronter entre eux et à des adultes. Ils leur fournissent de merveilleuses chances de grandir. Et ils s'en fournissent à eux-mêmes.

L'action

Est-il besoin de le répéter ? La meilleure école de formation sera toujours reliée à une plongée directe dans le réel de la vie et dans le vécu des personnes.

La formation dans l'action et par l'action constitue le meilleur des apprentissages. Il s'agit de favoriser au maximum l'engagement.

Chaque personne possède des talents particuliers, des charismes uniques. Et il y a tant de besoins à satisfaire dans nos sociétés, grandes ou petites. Chaque fois que des personnes mettent leurs aptitudes au service des autres, non seulement elles aident les autres mais elles s'aident elles-mêmes : elles se mettent à grandir. Même si elles rencontrent des obstacles ou se confrontent à l'échec.

À une condition cependant. Il est nécessaire que l'action dans laquelle elles se sont engagées soit révisée régulièrement. Car une action qui ne serait qu'action risquerait vite de tourner à la bougeotte, de sombrer dans l'activisme, de verser dans la myopie ou la courte-vue. Toute action suppose des prévisions et des révisions, des « retours d'action », des réajustements de parcours, des corrections de trajectoires, etc. Cela ne peut se faire sans réflexion régulière et systématique, individuelle et collective, sans ressourcements commandés par l'action et retournant à l'action.

Une action constante, nourrie de réflexion sur elle-même et ressourcée chaque fois qu'il le faut, est une action non seulement efficace mais également féconde. Elle porte de beaux fruits et pour les personnes à qui elle est destinée et pour celles qui y sont directement engagées.

Les échecs et les succès

On ne peut pas toujours tout réussir. Dans la vie, il y a aussi des échecs, des insuccès, des erreurs. On n'apprend pas à marcher droit ou à parler correctement du premier coup. On y arrive par tâtonnements, par essais. On tombe, puis on se relève. On bégaie et on recommence. Puis, un beau jour, on marche ou on parle convenablement. Mais, même quand l'apprentissage est acquis, il arrive encore qu'on se trompe, qu'on manque son coup...

En éducation, les échecs peuvent être aussi profitables que les succès. Les erreurs et les réussites sont autant de pas sur le chemin de la croissance. Malheur à qui ne remporterait que des succès ou ne subirait que des échecs !

Il importe que les jeunes apprennent à maîtriser ces deux réalités. Car ils les rencontreront tout au long de leur vie. Ne pas se laisser griser par le succès est tout aussi capital que de ne pas se laisser abattre par l'échec. Cela s'apprend en pratiquant, c'est-à-dire en essayant de se situer justement par rapport à ces deux « menteurs » (Kipling) à mesure qu'ils se présentent. Si l'apprentissage est bon, on découvrira que succès et échecs peuvent être de puissants tremplins pour grandir.

Il importe également, surtout dans des situations d'échec, d'apprendre la beauté des recommencements. Ne pas rester cloué au tapis, ne pas demeurer par terre. Mais se relever, rebondir, repartir à zéro, s'il le faut. Avec courage, audace et enthousiasme. Au fond, la vie est faite de perpétuels recommencements. On n'a qu'à regarder la nature qui avance en recommençant à chaque printemps, sans se lasser. Avec l'opiniâtreté des grands vivants qui empoignent leur existence à pleines mains, quoi qu'il arrive.

Il importe enfin que les jeunes trouvent sur leur route des éducateurs capables de les accompagner autant sur leurs chemins d'ombre que sur leurs chemins de lumière. Qu'ils trouvent chez eux de puissants stimulants pour l'action, des amis fidèles qui les encouragent et les soutiennent, des compagnons capables de pardonner et de fermer les yeux chaque fois que c'est nécessaire. Qu'ils y trouvent également le soutien, la compétence et la joie ! Les éducateurs eux-mêmes seront les premiers à y trouver matière à leur croissance personnelle !

Cet apprentissage de la vie à travers les réussites et les échecs prend un relief tout particulier chez les jeunes à l'heure où leurs expériences peuvent, si l'on sait y être attentif, devenir des expériences fondatrices de toute une vie.

L'apprentissage

Tous ces « petits pas » éducatifs s'appellent l'apprentissage. Cette expression toutefois n'est pas si claire qu'on est porté à le croire à première vue.

Souvent, quand on pense « apprentissage », on pense à « apprenti ». Et alors on pense à des jeunes qui pratiquent en vue d'acquérir un métier quelconque. Des jeunes travaillent dans un garage, dans une cordonnerie, une boulangerie, etc. en vue d'obtenir leur « carte de compétence ». Ces jeunes sont en fait dans de véritables « ateliers d'apprentissage ».

Par ailleurs, quand on dit apprendre quelque chose, on risque trop souvent de se confiner à l'acquisition de connaissances, à des cours, à des lectures, etc.

En fait, la notion d'apprentissage contient tous ces éléments, mais elle va bien plus loin.

Il s'agit moins d'acquérir un métier ou une profession ou des connaissances, même si ces acquisitions sont nécessaires. Il s'agit surtout d'acquérir une manière d'être ou, mieux, de faire advenir l'être unique et original que chaque personne porte en soi.

Cette découverte de soi et cette croissance se font, bien sûr, à travers des activités, des connaissances, etc. Mais ce qui est visé ne se situe pas d'abord au niveau du faire ou de l'avoir ou même du savoir ; il se situe plutôt au niveau de l'être même de la personne.

Grandir en permanence

Un apprentissage jamais terminé

Car nous n'aurons jamais fini de grandir.

Bien sûr, vient un jour où nous arrêtons de croître physiquement et même vient un temps où nous nous « ratatinons », paraît-il. Mais, par contre, nous n'aurons jamais fini de découvrir nos potentialités et de les mettre en oeuvre. À mesure que la vie déroule son écheveau sous nos yeux, nous approfondissons nos sentiments, nous développons nos capacités de toutes sortes. Nous n'aurons pas trop d'une vie pour apprendre à aimer et à être aimés. En ces domaines, notre éducation ne sera jamais terminée.

C'est pourquoi nous pouvons parler d'une éducation permanente.

Un temps de mutation

Autrefois — et cet autrefois ne renvoie pas à des siècles mais à quelques décennies seulement — on vivait dans un monde stable, presque immuable. Les valeurs, les coutumes et les lois étaient établies et semblaient coulées dans le béton, faites pour durer toujours. On recevait alors une éducation axée sur le passé. Elle était plutôt du style transmissif et consistait la plupart du temps en une communication de ce qu'il fallait savoir, croire et faire pour être ajusté à la société. Le grand maître était le passé. Et la devise était : « Je me souviens ». Les anciens portaient la tradition et les éducateurs, scolaires, familiaux ou paroissiaux, la communiquaient aux jeunes.

Mais voilà que subitement tout s'est mis à bouger. Nous sommes entrés, comme disent les spécialistes, dans un monde de mutations. Nous avons eu notre révolution plus ou moins tranquille. Nous avons connu nos réformes scolaires, municipales, ecclésiales, etc. Et ce n'est pas fini.

Les valeurs « jeunes » ont pris le pas sur les valeurs traditionnelles. Des professions nouvelles sont apparues, des modes de vie inédits ont fait surface, dus principalement à l'avènement formidable de l'électronique et de l'informatique, au développement scientifique et technologique, à l'invasion des mass-médias, à l'exode rural vers les villes, etc.

Toutes ces mutations ont entraîné un incroyable brassage d'idées et de comportements. L'éducation reçue pour la vie ne s'ajustait plus à la physionomie des temps nouveaux. Il a fallu la remplacer comme un vêtement usé ou trop petit. Il a fallu tout au moins la repenser et la réajuster considérablement.

De là est né principalement le concept de l'éducation permanente. Non seulement l'être humain n'a jamais fini de grandir, mais le monde dans lequel il vit, lui aussi, grandit sans cesse. La personne est appelée à s'y ajuster constamment sous peine d'être vite dépassée, décyclée, inadaptée et de « paranoïer » dangereusement.

On ne sort plus des écoles, grandes ou petites, avec son parfait « kit » d'éduqué-pour-la-vie sous le bras. On en sort avec la capacité, souhaitons-le, de grandir sans cesse dans un monde en évolution constante.

L'éducation permanente

Quand on parle d'éducation permanente, la première idée qui vient à l'esprit est ordinairement celle d'un bon recyclage. Le monde, nous venons de le voir, évolue rapidement, et nous avons peine à le suivre.

C'est en ce sens que les universités, les collèges et plusieurs écoles ont mis sur pied des sessions de perfectionnement pour les adultes. Ces sessions sont à bon droit très populaires actuellement : elles rendent d'immenses services.

Il faut en effet voir la situation souvent dramatique de nombreuses personnes complètement désemparées parce que leur « formation antérieure » ne correspond plus du tout à la conjoncture actuelle. Ils se trouvent tout à coup sur une autre planète, totalement étrangère. On parle des langages différents, on vit des coutumes différentes. On entretient souvent un dialogue de sourds.

Mais ce n'est là que le premier pas de l'éducation permanente. Et ce n'est pas le plus important. Car il se situe au niveau du faire. Il faut le dire cependant, quand le faire ne va pas bien, l'être risque lui aussi d'aller mal.

Il n'en reste pas moins que quand le faire est ajusté, l'éducation permanente n'a pas encore dit son dernier mot.

Car le pas le plus important sera toujours au niveau de l'être. Il s'agit en effet d'acquérir et de développer une mentalité d'éduqué permanent.

Qu'est-ce à dire ? Beaucoup de choses.

Par exemple, ne jamais considérer qu'on est un produit parfait, terminé, achevé ; ne jamais s'imaginer qu'« on l'a l'affaire ! » ; ne jamais cesser de penser qu'on a toujours quelque chose à apprendre, qu'on a toujours un coin de soi à développer, qu'on a toujours quelque chose à améliorer, qu'on a toujours à s'ajuster à ce monde en mutation perpétuelle ; apprendre à puiser dans ses propres ressources et dans celles des autres pour se développer toujours ; apprendre à ne jamais s'arrêter, mais à se situer dans un processus qui dure toute la vie et non dans une étape passagère, etc.

Bref, apprendre à être de plus en plus soi-même dans un monde qui évolue sans cesse ! Et être convaincu qu'on n'a jamais fini de grandir et que cela est passionnant !

Notre vie est comme un fleuve où nous ne jetons jamais l'ancre et où nous avançons au gré des vents et des marées mais en tenant en mains fermement notre gouvernail.

L'environnement

Son actualité

Les écologistes nous ont fait découvrir l'importance de l'environnement pour mieux vivre. Les gens qui polluent leur environnement détruisent leur propre habitat. Qu'il s'agisse de pollution de l'air, de l'eau ou du sous-sol, qu'il s'agisse de pollution par le bruit, par les déchets surtout nucléaires et industriels, c'est toujours du lieu où nous vivons dont il est question. Et il ne suffit pas de ne pas le salir, ou de ne pas le détériorer, ou de ne pas le détruire, il est de première nécessité de l'embellir, de l'améliorer, de le construire même. Il y va de la qualité de la vie, de notre vie, comme on dit.

Les botanistes eux aussi y sont allés de leur enseignement sur l'importance de l'environnement pour la bonne santé et le développement des plantes. Chaque plante possède en elle-même tout ce qu'il lui faut pour grandir. À une condition cependant. C'est qu'elle bénéficie d'un environnement favorable à sa croissance. Le chêne est contenu dans le gland. Encore faut-il le mettre en terre et en terre appropriée, pas au pôle nord !

Enfin, les sociologues nous ont rappelé l'importance de l'environnement humain pour bien grandir. On s'inquiète de l'effritement de la famille, qui constitue un environnement majeur pour la croissance. On s'interroge sur les conséquences de l'anonymat des grandes villes et des grandes écoles sur le développement des personnes. C'est pourquoi on tente de créer des regroupements de quartier, des fêtes de rue, des mini-cellules scolaires, de nouvelles familles, des groupes restreints, bref, des communautés à taille humaine. Dans ces communautés, les gens peuvent se parler, s'écouter, s'accueillir, communiquer plus facilement, toutes choses fort utiles pour grandir harmonieusement.

Son importance

Les leçons de l'écologie, de la botanique et de la sociologie ont permis aux éducateurs de prendre davantage conscience d'une grande vérité : en éducation aussi, l'environnement est capital.

Le psychologue Carl Rogers nous avait habitués à l'image du gland : « Chaque être humain possède en lui-même tout ce dont il a besoin pour grandir ». Et ce fut avec beaucoup d'enthousiasme qu'on appliqua cette découverte en éducation. Cette vérité donna naissance à toutes les pédagogies « centrées sur la personne qui apprend » au lieu de « la personne qui enseigne ». Chesterton, avec son humour bien anglais, avait déjà attiré l'attention dans le même sens quand il disait : « Pour enseigner le latin à John, ce qu'il faut connaître, ce n'est pas d'abord le latin, c'est John ». On le voit, les pôles éducatifs se déplacèrent : du professeur à l'élève, de l'éducateur à l'éduqué.

Cela ne signifiait pas pour autant que les connaissances à transmettre et les habiletés à communiquer étaient reléguées aux oubliettes. Cela signifiait qu'elles étaient mises au service de l'« apprenant » et non l'inverse. Dans la pratique, cette idée généreuse donna lieu à des expériences pédagogiques et éducatives de grande qualité. On comprit mieux l'importance de la relation éducative, dite « personnelle », entre l'éducateur et l'éduqué ; et on saisit mieux la place primordiale de l'éduqué dans le processus éducatif.

Mais on alla encore plus loin. On comprit bien vite qu'il fallait y ajouter la relation dite « écologique », c'est-à-dire la relation de l'« apprenant », et même de l'éducateur, avec un environnement conçu comme capable de les aider à grandir.

Le gland deviendra un chêne même sans jardinier. Mais il ne le deviendra jamais sans un environnement favorable à sa croissance. Il poussera tout crochu. Il restera petit ou, pire encore, il ne poussera pas du tout.

C'est le drame de tant de jeunes mal-aimés, mal-partis dans la vie, ballottés d'un foyer nourricier à un autre, d'une école à l'autre. Ils avaient tout ce qu'il fallait pour grandir en beauté. Mais le milieu familial ou scolaire ou social a fait défaut. Ils sont devenus trop souvent agressifs, fermés sur eux-mêmes, insécures, méfiants envers les autres et envers eux-mêmes. Parfois, ils ont même franchi divers degrés de mésadaptation sociale.

C'est assez dire l'importance de cette relation « écologique ». S'il faut faire confiance aux personnes, il faut aussi faire confiance aux milieux dans lesquels elles évoluent. Ces milieux de vie comportent eux aussi des richesses, des points d'appui pour une croissance de plus en plus belle.

L'une des tâches éducatives les plus importantes en éducation, c'est précisément de faire en sorte que les milieux de vie des jeunes soient de plus en plus des environnements favorables à leur croissance. Et si ces environnements n'existent pas, il faut les créer. Il y va du développement même des jeunes.

On entend souvent des critiques contre les manuels scolaires et les programmes pédagogiques quand ce n'est pas contre les enseignants. On n'a pas toujours tort, c'est sûr, quoique les instruments et les enseignants soient en général de grande qualité. Mais, quand bien même on rédigerait sans cesse les instruments nouveaux et qu'on recyclerait constamment les enseignants, on n'arriverait pas pour autant à résoudre les plus grands problèmes en éducation. Tant qu'on ne touche pas aux milieux de vie des éduqués et des éducateurs, tant qu'on n'améliore pas la qualité de vie des endroits qu'ils fréquentent, tant que leurs relations humaines sont faibles, on a beaucoup de chemin à parcourir encore.

Un exemple illustrera cette affirmation. Supposons que l'on veuille inculquer aux jeunes la valeur de l'accueil des autres. On pourra bien leur donner un cours sur cette valeur, ce qui ne serait déjà pas si mal. On pourra bien aussi disposer d'éducateurs fort accueillants, ce qui serait encore mieux. Mais, ce qui serait encore plus « éducatif », ce serait de permettre aux jeunes d'évoluer dans des lieux et des situations où ils seraient amenés à pratiquer l'accueil régulièrement. Si, à la maison ou à l'école ou au local scout, l'accueil est monnaie courante, c'est parfait.

Chaque être, c'est vrai, a tout ce qu'il faut pour s'épanouir, mais à la condition qu'il pousse dans de la bonne terre. Combien d'humains sont devenus des êtres rabougris, renfrognés, tordus, parce qu'ils n'ont n'ont pas trouvé dans leur famille un climat d'affection, d'attention, d'accueil ? Combien d'humains n'ont pas atteint leur vraie stature parce que leur milieu les a rejetés, basculés ou simplement ignorés ?

Mais, quand un être pousse dans la bonne terre de la compréhension, de la tolérance, de la confiance, on le voit grandir à vue d'oeil. Il croît en beauté et en harmonie; et c'est merveilleux de le voir produire des fruits de bonté, de compétence, de créativité.

On le voit, ce n'est pas perdre son temps ni son énergie que de travailler à fabriquer ou à améliorer des environnements pour les rendre de plus en plus éducatifs.

Et l'amour...

Choisir d'aimer

Voilà, me semble-t-il, le fin mot de toute éducation. Il n'y a pas d'éducation valable sans amour. Amour des éducateurs envers les jeunes et amour des jeunes envers les éducateurs. Et amour des éducateurs entre eux et des éduqués entre eux également. Les milieux éducatifs devraient être des lieux où l'amour circule librement et abondamment.

Les psychologues nous ont appris depuis longtemps que le besoin d'aimer et d'être aimé est un besoin fondamental de toute personne humaine, a fortiori de tout jeune. Est-il besoin de rappeler les mots de Jean Vanier : « Rien n'aide plus quelqu'un à grandir que le sentiment de se savoir aimé » ?

Les jeunes sentent très vite si on les aime vraiment. S'ils ont besoin d'éducateurs compétents, consciencieux, honnêtes et responsables, ils ont encore plus besoin de rencontrer en eux des amis véritables qui les comprennent, les écoutent, les accueillent, les stimulent pour aller de l'avant. Ils n'ont pas besoin d'éducateurs-fonctionnaires accomplissant servilement un « job » et incapables de les aimer vraiment.

Les éducateurs plus préoccupés d'eux-mêmes que des jeunes ne méritent pas le beau nom d'éducateurs. L'éducation n'est pas qu'une profession, c'est une vocation. L'éducation n'est pas qu'un enseignement, c'est un témoignage.

Aimer...

Aimer, c'est faire confiance. C'est apprécier l'autre. C'est s'intéresser à ce qu'il est, ce qu'il dit, ce qu'il fait. C'est fermer les yeux sur l'indifférence, l'ingratitude, l'oubli, mais jamais son coeur ni ses mains. C'est pardonner après l'offense et recommencer comme s'il n'y avait jamais rien eu. C'est attendre. C'est patienter. C'est durer et parfois endurer.

Aimer, c'est ne pas mettre de condition. C'est accepter l'autre tel qu'il est, non pas tel qu'on voudrait qu'il soit. C'est l'accepter tout entier et non pas seulement dans certaines facettes de sa personnalité ou à certaines heures du jour seulement.

Aimer, c'est manifester à l'autre qu'il est aimé. C'est le lui dire. C'est le lui prouver. C'est ne pas cacher constamment ses sentiments. C'est les exprimer de manière concrète et convenable.

Aimer, c'est non seulement aimer d'une manière affective mais aussi d'une manière effective. S'il est bon d'aimer avec son coeur, il n'est pas moins bon d'aimer avec ses bras. C'est pousser à l'engagement, à la prise en charge, à la responsabilité.

Aimer, c'est aider l'autre à comprendre son coeur quand il est lui-même en pleine expérience d'amitié ou d'amour. C'est lui apprendre à apprivoiser le coeur de l'autre. C'est lui faire découvrir l'importance de la fidélité aux liens affectifs que l'on tisse.

L'amour véritable pacifie, affermit et confirme l'autre. Il révèle à l'autre sa véritable identité, sa véritable beauté. Il libère et dilate le coeur. Il unifie par l'intérieur une vie parfois apparemment bien dispersée. C'est un puissant stimulant pour l'action. C'est une force incroyable pour l'inspiration. C'est un « canalisateur » extraordinaire de tensions et de conflits.

La personne qui aime ne cesse de grandir et d'aider à grandir. Celle qui est aimée aussi. Car, en ce pays merveilleux, nul ne sait qui donne le plus à ou qui reçoit le plus.

Les plus petits

On juge, paraît-il, de la bonne santé d'une société aux soins qu'elle met à s'occuper de ses plus démunis. On peut en dire autant de la famille, de l'école et de diverses institutions sociales.

Et les parents le savent bien, eux qui s'occupent d'une manière privilégiée de leur enfant malade ou handicapé. Non pas qu'ils oublient les autres. Mais ils savent, d'une connaissance du coeur, que toute la maison ira bien si le plus petit est bien traité par tous.

L'éducation sous toutes ses formes gagnerait à s'approprier cet exemple familial. Dans toutes nos maisons d'éducation et dans toutes nos réformes scolaires, une place de choix devrait être faite aux plus petits: personnes handicapées, inadaptés sociaux, déficients légers ou profonds, etc.

On jugera de la qualité d'un système éducatif aux soins qu'il donnera aux plus défavorisés.

Bien plus, ce faisant, tout le système s'en portera mieux. Parodiant à peine une parole de Jean Vanier, on peut dire : « Les pauvres sont les racines de l'arbre de la société ». Les botanistes le savent bien, eux qui donnent tant de soins aux racines. C'est elles qu'ils arrosent, c'est leur terre qu'ils ameublissent et qu'ils engraissent. Et alors, toute la plante est belle.

Il en est de même pour les démunis. S'occuper d'eux en préférence, c'est renforcer tout l'arbre, c'est améliorer tout le système, c'est faire de l'éducation une éducation de qualité.

Bien plus, c'est par eux et par ceux qui s'intéressent à eux que viendront les meilleurs changements de nos sociétés et de nos institutions d'éducation.

Sans conclure...

L'éducation est certainement l'une des tâches les plus importantes auxquelles puisse s'adonner l'être humain. Aider quelqu'un à grandir, l'accompagner sur les chemins de lumière et d'ombre qui sont les siens, n'est-ce pas l'une des plus belles formes de l'amour ?

N'est-ce pas à cela que nous sommes tous conviés ? C'est à cela que nous sommes tous appelés. C'est de cela dont nous avons le plus faim. C'est pour cela que nous vivons.

Ne nous lassons pas d'aimer. De toutes les manières. En tout temps. En tout lieu. Malgré tout et tous. Ayons toujours le goût de recommencer. Aimons avec notre coeur, notre tête et nos bras.

L'amour est l'oxygène du coeur. Il est le moteur de nos vies. Il est la plus grande motivation que nous puissions avoir.

Il se fait beaucoup de bonnes choses sans amour. Mais, avec lui, il s'en fait de très bonnes. La plupart des plantes poussent difficilement à l'ombre ; il leur faut de la lumière. Les humains grandissent tellement mieux au soleil de l'amitié et de la tendresse.

Oui, choisissons donc d'aimer !

Table des matières

Introduction 7

I — Des plantes 9

Le terrain 11
La faux 12
Le feu d'herbe 13
L'ensemencement 14
Les arbres 15
Mes épinettes 16
La transplantation 19
Les premiers mois 21
La première année 23
Et maintenant... 25
Quand je les regarde... 27
La haie 29
Les autres arbres 32
Les fleurs 35
Les plantes de maison 37

II — ...Et des humains 39

Sylvie 41
Marc-André 44
Nathalie 47
Pomerol 49
Mariette 52
Les épinettes du Parc 55
Rachel 58
François 61
Arthur 64
Roseline 68

Les racines 69
Roland et Maria 73
Maryse 76
Olivier 80
Rose-Rose 83
Pivard 87
Lisette 89
Sylvain 93
Adrienne 96
Ronald 99
Pierrette 102

III — Petites fleurs **105**

IV — En d'autres mots... . . . . **155**

Aider à grandir 157
    La leçon du jardinier   157
    Les jardiniers des humains   158
La personne avant tout 159
    Chaque personne est unique   159
    Se centrer sur la personne   160
    La confiance   162
    Le respect   164
    L'autonomie   165
    La paix   166
    L'harmonie   167
    L'unité   169
Pratiquer 170
    La tête, le coeur et les mains   170
    Les ateliers d'apprentissage   172
    L'action   173
    Les échecs et les succès   175
    L'apprentissage   177

Grandir en permanence 178
    Un apprentissage jamais terminé   178
    Un temps de mutation   179
    L'éducation permanente   181
L'environnement 183
    Son actualité   183
    Son importance   185
Et l'amour... 189
    Choisir d'aimer   189
    Aimer...   190
    Les plus petits   192
Sans conclure... 194

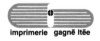

imprimerie gagné ltée

IMPRIMÉ AU CANADA